Maternidad sin riesgos

Una guía prenatal para parejas

Diseño de tapa: Mario Blanco

CONNIE MARSHALL, R. N.

Maternidad sin riesgos

Una guía prenatal para parejas

Traducción de
GABRIELA SAIDÓN

EDITORIAL HERMES

Título del original en inglés: **From here to Maternity**

Primera edición en México: noviembre de 1993

© 1991 by Conmar Publishing, Inc.
© 1993, Editorial Sudamericana, S.A.
Humberto I. 531, Buenos Aires

© 1993, Editorial Hermes, S.A.
Calz, Ermita Iztapalapa, 266
Col. Sinatel, México, D.F.
Tels.: 674-14-25 y 674-18-94

ISBN 968-446-172-0

IMPRESO EN COLOMBIA

Agradecimientos

A mi marido, Byrne, el padre de este "bebé", que me brindó inspiración, disciplina, apoyo y motivación a lo largo del parto de cada edición de este libro.

A Kathi, mi hermana, amiga y socia, cuya lealtad, integridad, compromiso y persistencia nos han permitido crecer y prosperar.

A Cheryl, el tercer miembro de nuestro equipo, que con su indispensable y experto talento organizativo nos mantuvo en la búsqueda, y cuya fe nunca decayó.

Un sincero aprecio para los amigos profesionales y asociados que han hecho valiosas contribuciones a este libro: Judy LaPray R.N., M.S.N., por la exhaustiva información sobre amamantamiento; Larry Bertolucci, R.P.T., por su contribución al capítulo "Afecciones comunes en el embarazo"; Ciry Sriyan, reflexóloga, por su competencia en técnicas de acupresión; Rae Kuhn, R.N., Lynn Fraser, B.S., expertas internacionales en estado físico y embarazo, por su importante contribución a la sección de ejercicios en el capítulo "Estado físico en el embarazo"; y Joyce Highley, R.D., por su ayuda en la sección nutrición.

Y un agradecimiento especial para todos los educadores del área de alumbramiento que usan este libro como guía de enseñanza.

Agradecimientos

Prefacio

Para la mayoría de la gente, el mundo de la medicina es como un país extranjero. Los nativos se visten de manera diferente, con uniformes médicos, y hablan una lengua que suena familiar pero puede ser verdaderamente ininteligible para aquellos que no hablan el dialecto. Los términos médicos extraños y los giros poco familiares pueden provocarte ansiedad y disminuir tu entusiasmo por el tiempo que pasas en su territorio. Necesitas aclimatarte.

Mis calificaciones como "guía turística" incluyen más de veinticinco años de experiencia cuidando parejas a la espera de un bebé a través de todo el proceso del embarazo. Mi especialidad es el trabajo de parto. He trabajado en gran variedad de condiciones desde casos de bajo riesgo hasta atención directa de madres en alto riesgo como enfermera especialista en clínica en un gran centro perinatal. Como madre de dos hijas, también cuento con mi experiencia personal.

Hay una abrumadora cantidad de libros en el mercado sobre prenatalidad. Están escritos por médicos, educadores especializados en nacimiento, "consultores" en nacimiento, legos y combinaciones de todo eso. Los temas se extienden desde "el médico sabe más" a "feminista furiosa sabe más". Equilibrio y objetividad se olvidan en la mayoría de los casos. La información de este libro tiene el sentido de ampliar y no suplir tus esfuerzos para comunicarte por tu cuenta e inteligentemente con aquellos en quienes has confiado tu cuidado. La comunicación es vital para establecer la confianza y la relación que necesitas tener con tu médico o partera. Si, en tu búsqueda de conocimiento, encuentras información en conflicto, discute todas y cada una de tus preocupaciones con el equipo de profesionales que has elegido para el cuidado de tu salud. Como grupo, ellos son honestos, trabajadores serios, y están comprometidos a hacer lo mejor para ti y tu bebé.

La información presentada en este libro se basa, en parte, en *Standards for Obstetric-Gynecologic Services* y *Guidelines for Perinatal Care*, publicados por el *American College of Obstetricians and Gynecologists* (ACOG) y la Asociación Pediátrica Americana (APA), respectivamente. La información aquí contenida es actual y precisa. Si sientes la necesidad de leer literatura médica, hay un compendio de la literatura especificada en la bibliografía referida a los diversos capítulos.

Notarás que en el texto hago referencia al bebé alternativamente como él o ella. La uniformidad es buena, pero no he sido muy estricta. Es la idea lo que cuenta.

Me refiero al hombre en tu vida como tu marido. Suena mejor que "significativo otro" o "pareja". La mayoría de los libros prenatales olvidan a esa importante persona en tu embarazo. Puede estar mencionado brevemente, si lo está. Como no era práctico presentar cada aspecto del embarazo desde su perspectiva, he incluido los aspectos más importantes en la medida en que se relacionan con él. Si él quisiera un libro prenatal dedicado especialmente a sus necesidades, recomendamos *The Fatherhood Faze*, una guía para el futuro padre.

Para simplificar, nos referimos al encargado de cuidar de tu salud como médico. Es demasiado incómodo andar repitiendo "médico o partera". Si la balanza algún día se inclina para el otro lado... el médico quedará afuera, la partera adentro.

El humor está usado a lo largo del libro por una buena razón: ayuda a poner cualquier situación dentro de una perspectiva apropiada. El humor es un gran liberador, sanador y compensador de ansiedades. Tiene el sentido de agregar una pequeña sonrisa extra a tu embarazo. Muchos de los libros actuales se quedan en los aspectos místicos y sagrados del alumbramiento, haciendo que parezca estrictamente un asunto serio. Es un tiempo maravillosamente satisfactorio y creativo en tu vida, pero tiene un costado más liviano. El sentido del humor siempre ayuda.

Pasen un buen momento en su camino a la paternidad. Ése es el presente que yo les hago. Espero que les guste.

Introducción

El embarazo es un viaje de nueve meses hacia el estado de maternidad. Las experiencias a lo largo del camino varían enormemente de mujer a mujer, pero algunas son comunes a todas las embarazadas. Es reconfortante saber que otras han hecho el viaje antes que tú y que aquellas que hoy lo están haciendo están experimentando muchas de las mismas cosas. No estás sola.

La información de este libro brinda un panorama de las variadas emociones y experiencias que tú y tu marido pueden esperar durante su embarazo. Y así como existen muchas experiencias comunes, cada embarazo es único.

Primera parte

Los ajustes

1

Emociones del embarazo

Cambios en actitud y en latitud

Tu embarazo provocará cambios físicos obvios. También causará cambios emocionales graduales y dramáticos. Por momentos, esos cambios pueden manifestarse como drásticos virajes de humor; en otros momentos pueden ser tan sutiles que despisten aun al observador más cercano. Las hormonas del embarazo son en gran medida responsables de los cambios emocionales. Los cambios físicos alteran el normal desempeño en las tareas, y los emocionales provocan un cambio en actitud.

Los psicólogos han aislado tres fases distintas que atraviesa la mujer durante el embarazo. Se consideran estas fases como pruebas experimentales. Al comienzo, ella tiene que aceptar el hecho de su embarazo; luego acepta y siente al bebé como parte de su cuerpo. Finalmente, percibe al bebé como un ser diferente y está lista para liberarlo de su cuerpo a través del alumbramiento. El marido comparte estas fases en algún grado en la medida en que acepta su nuevo rol como futuro padre. Ambos pueden estar convencidos de que estos cambios son reales y no constituyen una causa de alarma. El embarazo cambia sus vidas, de modo que prepárense para ciertos ajustes.

Primer trimestre

En los tres primeros meses, cuando te das cuenta de que efectivamente el embarazo cambiará tu vida, puedes sentirte ambivalente y tener emociones mezcladas, no importa cuánto hayas planeado o esperado un bebé. Es posible que te sientas nauseosa y cansada, lo cual es suficiente para volver a cualquiera "gruñona" y de mal humor. Puede ser que ubiques tu sexo entre paréntesis por temor a que el coito dañe al bebé o te provoque un aborto. Eso no ocurrirá, pero esa clase de sentimientos son normales. Comienzas a preguntarte si el embarazo es tan bueno como lo pintan. La mayoría de las mujeres pasan algún tiempo reflexionando acerca de sus emociones mezcladas durante este tiempo y rebotando en ellas como un *boomerang*.

Sumándose a su trabajo regular de asegurar un embarazo exitoso, las hormonas del embarazo parecen intensificar tus estados de ánimo y sentimientos; a veces puedes sentir como si estuvieras viajando en una montaña rusa emocional. En un minuto estás delirantemente feliz acerca de tu embarazo y todo lo demás. Eres Mary Poppins y sus hermanas de espíritu. Al minuto siguiente te encuentras bañada en lágrimas por nada en particular. ¡Ánimo! No te estás volviendo loca. Tienes el primer trimestre entero de tu embarazo para resolver tus sentimientos y acostumbrarte al hecho de que realmente estás embarazada.

Segundo trimestre

Habitualmente todo se equilibra en los segundos tres meses. Tu náusea y la entumecedora fatiga de tu mente decrecen, y puedes deleitarte con tu ombligo que empieza a sobresalir. ¡De modo que realmente hay un bebé ahí adentro! Has pasado la segunda prueba e incorporado a tu bebé como parte de tu cuerpo. Experimentas el sentido de una unión real a medida que te vas acostumbrando a las patadas y vibraciones que ahora estás sintiendo.

Las buenas noticias son que tu busto ha duplicado su tamaño; las malas noticias: lo mismo le ha sucedido a tu cintura. Puedes descubrir, como han hecho muchas mujeres, que es un alivio no tener que sujetar tu estómago. Durante los próximos seis meses, tu estómago estará de vacaciones.

Emocionalmente, tal vez descubras que estás más dependiente de tu marido. Tienes un fuerte deseo de hacerlo compartir tu embarazo, que sienta moverse al bebé, y hablar acerca de la inminente paternidad. El tema domina tus pensamientos y tu conversación. También puedes encontrar dificultad para tomar incluso las más simples decisiones, como por ejemplo qué hacer para la cena o qué ropa usar. Si siempre has sido una persona muy decidida, esto puede resultarte desconcertante, pero también pasará.

Tercer trimestre

Los últimos tres meses de embarazo suelen llamarse el trimestre de anticipación. Puedes regocijarte con el hecho de permanecer sentada y dejar que otras personas tomen las decisiones y te cuiden. Tus pensamientos se concentran en tu interior y en tu sueño de cosas por venir —trabajo de parto y, por supuesto, el bebé—. Tratas de elegir nombres y das vueltas pensativamente por los negocios de ropa de bebés escogiendo la ropa "correcta", la cuna perfecta.

Éste es un tiempo muy reflexivo. Serena y pasiva son los adjetivos emocionales claves. Eres la madre tierra, y tus instintos de anidamiento se vuelven irresistibles mientras limpias el cuarto del bebé varias veces por día, repasas los pisos, reacomodas los muebles. Estás preparándote para terminar esa fase final: atando los últimos cabos de tu crecimiento psicológico repentino. Te estás preparando psicológicamente para liberar a tu bebé de tu cuerpo a través del alumbramiento. Ahora eres capaz de figurarte el bebé "interno" como un ser "externo", un ser separado de ti. Estás realmente lista para ser mamá.

El futuro padre

Como un padre que espera un hijo, también tienes algunos ajustes emocionales que hacer. Puedes descubrir que tienes los mismos sentimientos de ambivalencia acerca del embarazo que tu mujer. Es posible que inicialmente te des cuenta de que ansías cierta distancia física y emocional con respecto a ella y a la realidad del embarazo hasta que puedas ordenar tus sentimientos. Esto no significa que no ames a tu mujer o que no seas feliz en relación con el bebé; simplemente necesitas algo de tiempo para dejar que la polvareda se asiente en tu cerebro. Muchos hombres aprovechan este tiempo para realizar un nuevo hobby, volver a estudiar, o simplemente ir de pesca.

Si ya eres padre, no estás inmune a la ambivalencia y la introspección. Tú también necesitarás algún espacio emocional para reevaluar tu rol paterno.

Aunque en los últimos años nuestra cultura ha llegado a aceptar la ternura y las cualidades para la crianza en los hombres, no estás seguro de cómo se aplica exactamente eso a tu personalidad. Algunos hombres se asustan o se confunden por la intensidad de sus sentimientos hacia el embarazo. Es posible que sientas la urgencia de establecer nuevos vínculos masculinos para compensar las extrañas emociones que estás sintiendo. En el otro extremo del espectro de comportamiento, podrías experimentar "couvade", el sentimiento de que "nosotros dos estamos embarazados". Cuando esto ocurre, tus sentimientos acerca de tu propia creatividad femenina son intensos. Sientes con tanta fuerza el deseo de participar en la creación y crecimiento de tu hijo que te encuentras experimentando una disminución en tu apetito, náuseas, y otras molestias gastrointestinales. Podrían aparecer unos gramos de más alrededor de tu cintura.

Convertirse en un padre de familia con todas las responsabilidades que esto implica puede ser un gran peso para ti, especialmente si no has tenido un fuerte modelo que te guiara. Pasas algún tiempo pensando en tu relación con tu propio padre y tratando de decidir cómo quieres que sea la relación con tu nuevo bebé. Si descubres que estás teniendo problemas en ajustarte a la idea de ser padre, procura ayuda para resolver tus sentimientos difíciles. Querrás que tu relación con tu nueva familia sea sana, exactamente como tu nuevo bebé.

Una vez que hayas resuelto tus sentimientos y te sientas nuevamente en camino, tendrás un interés más activo en el embarazo de tu mujer. "Afianzarse" en el rol paterno ocurre en algún momento entre la duodécima y la trigésima sexta semana de embarazo. Ahora quieres pasar más tiempo con amigos que tienen hijos. Sientes más entusiasmo por el nacimiento próximo y piensas en arreglar el cuarto del bebé, comprar una cuna con tu mujer, e incluso tomar clases de preparación para el parto. Estás listo para expandir emocionalmente tu relación de uno a uno con tu mujer a la nueva familia que ocupará tu atención. Tú, tu mujer y tu matrimonio están cambiando y creciendo.

2

Sexualidad

Banquete o hambre

El embarazo, especialmente uno largamente esperado, suele traer una gran alegría al matrimonio; sin embargo, aun el matrimonio más estable experimenta alguna clase de estrés y tensión junto con la alegría. Naturalmente, ocurren cambios en tu relación sexual. Los roles evolucionan a medida que comienzan a verse como padres de ese bebé al mismo tiempo que como compañeros, amigos y amantes que eran antes. Tu matrimonio sufre una reorganización que puede causar algunas crisis temporarias hasta que ambos se ajusten a los cambios.

Primer trimestre

Generalmente, en el primer trimestre tu apetito sexual puede permanecer relativamente inmodificado. Sin embargo, tus náuseas, vómitos, fatiga y la sensibilidad en tus pechos pueden poner un límite a tu libido habitualmente saludable.

Segundo trimestre

Durante el segundo trimestre, el hambre se convierte en banquete. Tus niveles de energía han retornado. A pesar de un abdomen que

21

se agranda, es común experimentar un erotismo acrecentado a través de fantasías sexuales y sueños. El fuego vuelve a tus ojos, y puedes encontrarte planeando ansiosamente encuentros sexuales con tu marido. Tus órganos sexuales y pélvicos se llenan con sangre extra durante el embarazo, lo cual da a tu libido un nuevo ímpetu. Muchas mujeres experimentan sus primeros orgasmos durante el segundo trimestre. Éste puede ser un momento de diversión para ambos. Recuérdalo para más adelante.

Tercer trimestre

Durante el tercer trimestre, el ardiente fuego del deseo que chisporroteó entre ustedes en los meses previos ahora se ha transformado en brasas encendidas de éxtasis debilitado. Emocionalmente, es posible que descubras que estás volviéndote algo introspectiva mientras te concentras en el trabajo de parto que se acerca. Puede ser que el sexo no ocupe un lugar preponderante en tu lista. Tú y tu marido pueden estar convencidos de que la situación es temporaria y normal.

"Lo lograremos" es el *leitmotiv,* mientras luchan por encontrar posiciones que funcionen y sean cómodas mientras tu útero crece cada vez más. Hacia el final del embarazo, cuando la posición "misionero" es un recuerdo, la única posición realista que queda es apoyarse sobre tu costado inclinada hacia tu marido. En esta posición puedes hacer descansar tu abdomen sobre una almohada, y el pene no penetrará en tu vagina tan profundamente como en otras posiciones. Varios libros excelentes que tratan el tema de la sexualidad durante el embarazo pueden ser útiles.

No es extraño, especialmente en las últimas semanas de embarazo, que sientas algunos espasmos o suaves contracciones después del coito, por varias razones. El fluido seminal (semen) contiene sustancias llamadas prostaglandinas, que pueden hacer que el útero se contraiga por un breve período. El efecto contráctil habitualmente no provoca problemas salvo alguna incomodidad. Si estás preocupada porque te sientes acalambrada frecuentemente después del coito, prueba haciendo que tu marido use un profiláctico o eyacule fuera de tu vagina (*coitus interruptus*). Consulta a tu médico acerca de tus preocupaciones para que te brinde otras sugerencias.

Tener espasmos después del coito también puede producirse por la estimulación de tus pezones, que puede provocar la liberación de una hormona, oxitocina, que hace que tu útero se contraiga. El grado de espasmos varía de mujer a mujer. Una cantidad de estimulación intermitente de los pezones durante el acto sexual raramente es suficiente para provocar dolores de parto.

Preocupaciones del marido

Tú también estás influido por los cambios psicológicos y físicos que tienen lugar en el cuerpo de tu mujer y tienes que hacer tus propios ajustes al embarazo. Tu satisfactoria relación sexual puede cambiar muy rápidamente cuando tu mujer está cansada, irritable o nerviosa, y tiene náuseas a la mañana. Aun si tú fueras su estrella de cine favorita, podría no estar interesada. No lo tomes como algo personal; también tu libido podría sufrir una notable disminución si piensas que tendrás que correr al baño en cualquier momento. Es posible que ella pase más tiempo que tú aferrada al inodoro.

A medida que el embarazo avanza, puedes descubrir que te sientes confuso o dudas en acercarte a un cuerpo cada vez menos familiar. Durante el tercer trimestre, es posible que tu mujer se sienta más parecida a un oso pesado en hibernación que a la muchacha de tus sueños antes de quedar embarazada. Esta mujer que solía provocar incendios forestales en tu zona sur ya no parece la misma. Parece... maternal. Podrías descubrir que aquellos "sentimientos" de muchachito largamente olvidados que solías tener hacia tu propia madre resurgen para confundirte. No te preocupes, eres normal. Es común también que te sientas ansioso, incluso culpable, por tu temor de dañar a tu mujer y/o al bebé, pero eso no ocurrirá.

Aunque haya momentos en los que tu mujer puede no estar interesada en el acto físico del amor, ella desea con fuerza cercanía, afecto y apoyo de tu parte. Si estás condicionado a la idea de que el afecto físico siempre proviene del sexo, ambos se sentirán muy decepcionados. Si hay un momento para ser sensibles a las necesidades del otro, es éste. Hablen el uno con el otro. Dile a ella cómo te sientes y qué necesitas —su corazón se derretirá más rápidamente que un cucurucho de helado en pleno verano—. Escucha cuando ella comparte sus sentimientos contigo. Cultiva tu sentido del humor porque te ayudará a manejar y sostener tu perspectiva. Los dos están juntos en esto.

Unas pocas reglas generales

Por regla general, el sexo durante el embarazo es inocuo, y no hay razón para alterar tus hábitos. Si percibes un problema potencial en relación con el acto sexual durante el embarazo o si tienes temores, discútelos libremente con tu médico. Trata de no ponerte tímida ni turbarte; tu médico ya los ha oído todos.

El coito sólo se prohibirá en raras ocasiones. Por ejemplo, si tienes un antecedente de trabajo de parto antes de término o si tus membranas se desgarran en forma prematura (tu bolsa de agua se rompe demasiado pronto), tu médico prescribirá abstención hasta que des a luz. Cuando la penetración no está permitida, muchas parejas se apoyan en más actividades genitales orales como una forma de mantener una cercanía física íntima.

Unas pocas prácticas sexuales deben restringirse durante el embarazo. Un soplido de aire dentro de la vagina puede ser muy peligroso porque el aire puede entrar dentro del torrente sanguíneo y dar como resultado tu muerte y la del bebé. Es arriesgado insertar vibradores plásticos dentro de la vagina porque el plástico es muy rígido y podría dañarte el cuello del útero o, raramente, provocar una ruptura de bolsa.

Una gran pregunta para la mayoría de las parejas es cuándo dejar de tener relaciones sexuales. Muy pocos médicos, si es que hay algunos todavía, recomiendan abstenerse del sexo seis semanas antes del parto. Usualmente, puedes continuar hasta que rompas la bolsa. Si tu embarazo se mantiene normalmente, no hay razón para no poder tomar las propias decisiones. Descubrirás que tus cambios físicos serán un factor primordial para determinar cuándo renunciar al sexo mientras dure el embarazo. Por ejemplo, la voracidad extra que provocó tanto placer durante tu segundo trimestre puede causarte un gran malestar en el tercer trimestre. Muchas posiciones son muy incómodas, y aunque te las arregles para encontrar una que te permita completar el acto, el orgasmo no te libera completamente, de modo que puede parecerte más un problema que algo que valga la pena (a veces puedes considerarlo una misión piadosa). Una regla simple para seguir es: si aún así resulta algo bueno, sigue adelante.

3

Tu cuerpo y el crecimiento del bebé

Calculando tu fecha de parto

El embarazo habitualmente dura 265 días desde la concepción, o 280 días desde el primer día del último período menstrual, suponiendo un ciclo de 28 días. La regla para calcular tu día de parto es restar 3 meses desde tu último período y agregar 7 días. Por ejemplo, si el primer día de tu último período menstrual fue el 7 de septiembre, tu fecha de parto sería el 14 de junio. Determinar cuánto falta puede llevar a confusiones porque la duración del embarazo se calcula en meses lunares de 28 días a diferencia de los meses calendarios de 31 días. Consecuentemente, el embarazo dura 10 meses lunares (40 semanas) o 9 meses calendarios.

Alrededor del 50% del total de mujeres embarazadas darán a luz una semana antes de la fecha de parto y 1 de cada 10 lo hará 2 semanas pasada esta fecha. Como puedes ver, tu fecha de parto es tan sólo un cálculo aproximado; no puedes considerarlo algo absoluto.

Uno a dos meses lunares

El bebé es aún un embrión durante las primeras 8 semanas y tiene alrededor de 4 centímetros de largo. El corazón es el órgano más desarrollado en este punto. Los brazos y piernas son aún pimpollos y el cordón umbilical comienza a formarse.

Tres a cuatro meses lunares

Entre las semanas 12 y 16, el bebé mide alrededor de 8 centímetros y pesa sólo 110 gramos. Los pimpollos de brazos y piernas han florecido y las uñas están creciendo. El pelo comienza a aparecer en el cuerpo y el desarrollo sexual se hace manifiesto. La piel del bebé es muy transparente. Los latidos del corazón ya pueden oírse.

Ahora puedes sentir tu útero justo encima de tu hueso pélvico, y probablemente pases mucho tiempo en el baño orinando por la presión sobre tu vejiga.

Cinco meses lunares

Estás a medio camino hacia tus 10 meses lunares o 40 semanas de embarazo. El útero ha alcanzado tu ombligo. Te vas acostumbrando a las patadas y movimientos del bebé que estás sintiendo. Realmente hay un bebé ahí adentro, y te estremeces cada vez que percibes aunque sea una pequeña vibración. También puedes sentir las contracciones de Braxton-Hick (falsas) en este momento, y definitivamente luces como una embarazada.

Tu bebé ahora pesa un poco menos de 300 gramos y tiene un fino vello sedoso (lanugo) por sobre todo el cuerpo. También comienza a crecerle el pelo en la cabeza.

Seis meses lunares

Hacia los 6 meses lunares, el peso promedio de un bebé es de 630 gramos. Su piel está arrugada, pero se están formando depósitos de grasa y en poco tiempo las arrugas se alisarán. La cabeza es notablemente más grande que el cuerpo. Aparecen cejas y pestañas. Los bebés que nacen para esta fecha ya pueden ser capaces de respirar, pero sus pulmones y otros sistemas corporales inmaduros les dan una chance muy escasa de sobrevivir.

Tu cuerpo luce definitivamente embarazado. Es posible que tu ombligo esté sobresaliendo, y todos los ligamentos que sostienen tu útero pueden estirarse lo suficiente como para hacerte sentir por momentos como si tu vientre estuviera cayéndose.

Siete meses lunares

Tu dulce bebé ahora pesa un poco más de 880 gramos y tiene alrededor de 42 centímetros de largo. La piel es roja y cubierta con una "crema para cutis" natural, llamada *vernix caseosa*. Con un cuidado experto en una unidad sofisticada de atención neonatal intensiva, la mayoría de los bebés que nacen en este punto sobreviven. Puedes experimentar dolores y molestias de embarazo, pero al menos has sobrepasado las náuseas, y no pasas la mitad de tu vida en el baño orinando.

Ocho meses lunares

Hacia los 8 meses lunares es probable que tengas problemas con todos tus ligamentos nuevamente y un estado dolorido en tus huesos púbicos, para no mencionar los dolores punzantes en tu vagina. A pesar de los dolores y molestias, puedes relajarte. Los bebés que nacen en este momento tienen un excelente porcentaje de supervivencia. Su peso promedio está alrededor de 1.800 gramos.

Nueve meses lunares

Un bebé en este estadio tiene entre 42 y 48 centímetros de largo y alrededor de 2,500 kilos de peso. Las arrugas casi han desaparecido y tu pequeño Superman puede mantenerte despierta de noche. Con cansancio observas que tu abdomen se mueve al ritmo de un rock and roll a eso de las 2 de la mañana.

Tu útero ahora está cerca de tu caja torácica, y es posible que te encuentres corta de aliento porque tu diafragma está siendo comprimido. La emoción de estar embarazada habitualmente se agota en este punto. Anhelas el día en que volverás a tener tu cuerpo todo para ti.

Diez meses lunares

¡Ya llega! El fin está a la vista y estás lista. Estás cansada de la ropa de embarazadas, tobillos hinchados, y todos los demás dolores y molestias. Nuevamente, estás pasando más tiempo en el baño liberando tu vejiga, que parece estar llena todo el tiempo. Tus contracciones de Braxton-Hick te hacen preguntarte si son, por fin, las verdaderas. Tu bebé está completamente desarrollado e impaciente por conocer el mundo. Está quedando muy poco lugar ahí adentro.

4

Estado físico en el embarazo

Aumento de peso

La mujer ideal de 1880 estaba preparada para el confort, no para la velocidad. Era una Brunhild corpulenta y robusta. Como el embarazo era una condición "delicada", permanecía en "confinamiento" como una frágil flor y probablemente se consumía olvidada de sí en medio del hastío. La chica Gibson de cambio de siglo se "achanchaba" porque estaba comiendo por dos. En los 50 y los 60, cambió el panorama; la gordura era inadecuada. Aumentar más de cinco kilos durante el embarazo supuestamente provocaba toxemia, y comer sal era un pecado. Nuevamente cambió el panorama hacia los 70 y los 80. Teniendo en cuenta que el ideal de la no embarazada de hoy es la comida sana y liviana para mantenerse en forma, ¿cuál se considera el ideal para la mujer embarazada en estos días?

Comer o no comer ha dejado de ser la cuestión. De acuerdo con el Committee on Nutritional Status During Pregnancy, un aumento de peso de 12 a 17 kilos da como resultado los bebés más sanos. El embarazo no es momento de perder peso. Si has pasado la mejor parte de tu vida adulta combatiendo la flaccidez, deberás ajustar tu disposición mental. Para algunas, la expectativa de aumentar de peso es algo parecido a morir e ir al cielo de la gula. Hay mujeres que pierden el control y aumentan 30 kilos antes de recobrar el sentido. Para otras que lucharon en el duro combate y les estaban ganando la batalla a las protuberancias, la perspectiva de un "alto el fuego" temporario puede ser descorazonadora.

Puede ayudarte el comprender por qué necesitas aumentar esos kilos extra. Hay una correlación directa entre un apropiado aumento de peso materno y los bebés sanos. Los recién nacidos que pesan entre 3 kilos y 3,600 kilos son más sanos y funcionan mejor. Entre los bebés que nacen con poco peso, debajo de los 2,500 kilos, generalmente hay una proporción más alta de muerte fetal o muerte neonatal, desarrollo infantil pobre, parálisis cerebral, retardo mental e inteligencia disminuida. En contraste, aquellas mujeres que eligen el cielo de la gula corren el riesgo de tener bebés mucho más grandes que pueden complicar el trabajo de parto. La lección es evitar la opción banquete o hambre. Existe un feliz punto medio.

PRODUCTOS DEL EMBARAZO *Peso promedio*	
Componente	Kilos/gramos
Bebé	3,500
Placenta	450
Líquido amniótico	900
Útero, aumento de peso	1,100
Tejido de las mamas, aumento de peso	1,250
Aumento del volumen de sangre	1,800
Reservas de grasa maternales	1,800 a 3,600
Total	10,800 a 12,600

La proporción en la cual aumentas es tan importante como cuánto aumentas. Un aumento de peso lento y parejo durante todo el embarazo es ideal. Un aumento de más de 3 kilos en un mes es demasiado; menos de 220 gramos en un mes después del primer trimestre es muy poco. La fórmula es simple de seguir. Probablemente aumentes aproximadamente entre 900 gramos y 1.800 gramos hacia el fin de la duodécima semana, depende de cuán nauseosa seas.

Después de eso, el aumento de peso habitual es de 450 gramos por semana las 28 últimas semanas. Si eres obesa, aun así deberías aumentar entre 7 y 11 kilos. Las mujeres obesas que aumentan menos de 7 kilos presentan un doble porcentaje de mortalidad infantil que aquellas mujeres obesas con un adecuado aumento de peso. Consulta a tu médico por recomendaciones más específicas basadas en tu peso individual. El cuadro anterior muestra dónde se ubica el peso adicional.

Durante el segundo trimestre, el peso que ganas se agrega a tus propias acumulaciones de grasa. Éstos son los nuevos y más opulentos contornos que percibes en tu abdomen, pechos, caderas y muslos. Esto es importante porque durante el tercer trimestre, cuando el bebé va aumentando de peso rápidamente, tu metabolismo cambia. El peso acumulado durante el segundo trimestre nutre tu cuerpo, mientras que las calorías que consumes van a tu bebé en crecimiento. La Madre Naturaleza también reserva esos kilos extra para el amamantamiento.

Saber cómo alimentarse

Aun con toda nuestra preocupación con respecto al consumo de alimentos, pocas personas, embarazadas o no, entienden realmente lo que constituye una dieta sana. No existe una dieta mágica y milagrosa para el embarazo; es razonable.

Calorías

El viejo adagio de comer por dos no es absolutamente válido. Uno y medio es el estándar actual. El factor más importante para tu bebé desde el punto de vista de la nutrición es el consumo adecuado de calorías de tu parte. Necesitas extras en tu alimentación en forma de calorías, proteínas, carbohidratos, grasas, vitaminas y minerales, que obtienes de una dieta bien balanceada.

Aproximadamente 300 calorías diarias extra son necesarias mientras estás embarazada y das de mamar. Calcula entre 36 y 40 calorías por cada kilo de tu peso corporal normal o ideal. Para la mayoría de las mujeres esta cantidad será de 2.200 a 2.400 calorías. Una vez más, consulta a tu médico si tienes preguntas o necesidades especiales.

Proteínas, carbohidratos y grasas

La clase de calorías que comes cada día es tan importante como la cantidad. Los expertos en nutrición concuerdan en que tu dieta diaria debería estar dividida en tres componentes. Las proteínas deberían constituir un 20% de tu dieta, las grasas un 30% o menos, y los carbohidratos un 50%. Pocas personas cumplen con estos requerimientos. La dieta americana típica es rica en grasas y proteínas y pobre en carbohidratos. Para descubrir dónde encajas entre la dieta típica y la ideal, haz un recuento de 48 horas. Anota todo lo que comes, y observa dónde necesitas hacer una reforma —éste es un verdadero impacto para la mayoría de la gente.

Proteínas

Las proteínas son importantes reconstituyentes de tejidos para ti y para tu bebé, pero no necesitas tantas como crees. La mayoría de las dietas americanas proveen una cantidad más que suficiente de proteínas. Mientras tu cuerpo puede usar la proteína como una fuente de energía, su función principal es la de reconstruir tejidos y células. Ésta no es la fuente de energía más eficiente para tu cuerpo. Demasiada proteína puede hacer que te sientas adormecida y pone trabas a tus riñones. Durante el embarazo necesitas 70 gramos de proteínas por día.

Carbohidratos

Los carbohidratos reciben apropiadamente el nombre de "soportes de proteína". Ellos abastecen tu cuerpo de modo que la proteína puede ser usada para la reconstrucción de tejidos en vez de para la energía. Cercanos a las grasas, los "carbos" son los componentes peor entendidos y más difamados en nuestra dieta. Es importante entender su función con el fin de usarlos de manera eficiente.

32

Los carbohidratos se dividen en dos grupos: féculas y azúcares. Las féculas proveen los carbohidratos complejos que mantienen una fuente constante de combustible que es liberada dentro de tu organismo. Satisfacen tu hambre por períodos más largos en contraste con las azúcares simples que se encuentran en esa basura de comida procesada. Papas, pastas y pan son excelentes carbohidratos complejos y no son engordantes. Cualquier cosa engorda si le pones encima cantidades de manteca, de modo que trata de usar yogur natural bajas calorías sobre tu papa asada en vez de crema ácida y manteca extra (el gusto del yogur natural es muy similar al de la crema ácida).

Mientras que las frutas frescas contienen azúcar, también proporcionan fibras, que mantienen estable el nivel de azúcar en sangre. Las fibras también mantienen tu colon funcionando eficientemente. Recuerda: los carbohidratos complejos derivados de vegetales frescos, granos y frutas frescas deberían constituir al menos un 50% de tu dieta diaria. Los siguientes alimentos son buenas fuentes de carbohidratos, especialmente durante el embarazo:

Féculas	*Azúcares*
Papas	Frutas frescas
Pastas	Vegetales frescos
Arroz	Jugos de frutas
Pan	

Grasas

Las grasas son otra importante fuente de energía; sólo que no hay que abusar de ellas. Tu cuerpo acumula grasa como una reserva para aquellos momentos en que gastas tu provisión de energía. La grasa acumulada es la póliza de seguro del cuerpo. Grasas como manteca, margarina y aceites para ensalada hacen que tu dieta sea más apetitosa, y son una parte necesaria de ella. Simplemente mantén la cantidad de grasa en tu dieta en un 30% o un poco menos.

Tu consumo básico de comida diaria debería contener 4 raciones de leche o productos lácteos para tus requerimientos de calcio; 3 porciones de carne o sustitutos de la carne tales como huevos, legumbres, arvejas disecadas, manteca de maní y nueces; 4 porciones de vegetales, frutas, pan y cereales. Mira el menú en el siguiente cuadro de una dieta nutritiva y bien balanceada para un día; contiene calorías y componentes adecuados, incluso calcio.

Indicaciones nutricionales

Cereales

No todos los cereales son procesados de la misma manera. Los cereales más nutritivos son aquellos que no tienen agregados de azúcar, sal ni grasas y poseen un alto contenido de carbohidratos y fibras. Por ejemplo, la granola tiene un alto contenido de grasas y un valor calórico más alto que muchos otros cereales. El trigo triturado es ideal porque no contiene sal, azúcar ni grasas —tú le agregas el azúcar— y sus fibras y carbohidratos son apenas más altos que en otras clases de harinas. Lee las etiquetas en los envases para elegir bien informada.

MENÚ SIMPLE

Grupo de alimentos		Calorías	Carb. (g)	Prot. (g)	Grasa (g)	Calc. (mg)
1 cereal	*Desayuno* 3/4 taza de trigo candeal	100	23	3	0	12
	2 cditas. de azúcar	32	8	0	0	0
1 lácteo	1 taza de leche descr.	120	12	8	5	300
1 fruta	1 naranja chica	60	15	1	0	50
2 fruta	*Colación* 1 banana	105	23	2	0	0

Grupo de alimentos		Calorías	Carb. (g)	Prot. (g)	Grasa (g)	Calc. (mg)
2 pan	*Almuerzo* 2 rodajas de pan integral	120	22	6	2	60
1 grasa	2 cditas. de mayonesa	67	0	0	7	0
1 carne	30 g de blanco de ave	60	0	7	3	3
1 veg.	30 g de lechuga romana	9	2	1	20	0
2 fruta	1 taza de jugo	50	10	2	0	30
1 pan	8 palitos de harina de trigo	70	9	1	3	0
1 leche	*Colación* queso *cottage* 1/2 taza	100	4	16	3	78
1 fruta	1/3 taza de pasas de uva	150	40	1	0	25
3 carne	*Cena* 85 g de pollo asado	165	0	21	9	0
1 veg.	Papa asada	145	39	8	0	8
2 grasa	1 cdta. de manteca/ margarina	36	0	0	4	1

Grupo de alimentos		Calorías	Carb. (g)	Prot. (g)	Grasa (g)	Calc. (mg)
	30 g de yogur natural descremado	18	2	1	0	51
2 veg.	1/2 taza de habas	67	12	4	0	22
1 veg.	Ensalada con lechuga romana y 1/2 taza de tomates	33	6	2	0	28
4 grasa	Condimento para ensalada					
	4 cdas. (aceite/vinagre)	290	0	0	32	0
1 lácteo	1 taza de leche descr.	120	12	18	5	300
1 pan	*Colación* 1 rodaja de pan francés	80	13	3	1	22
1 grasa	1 cdita. de manteca de maní	95	3	5	8	5
1 leche	250 g de leche descr.	120	12	8	5	300
	Total	2.212	262 57%	108 24%	87 20%	1.322

La batalla de los edulcorantes

Unas palabras acerca del azúcar versus sustitutos. El azúcar ha sido injustamente difamado por mucho tiempo. Los publicistas nos han programado para creer que el azúcar es el "asesino blanco" que debe ser evitado a toda costa. Económicamente, no hay competencia entre el azúcar y un edulcorante tipo Nutrasweet. En la batalla de las calorías, apenas vale el esfuerzo, dado que el azúcar sólo tiene 16 calorías por cucharadita. De modo que ¿cuál es el gran negocio? La miel parece mejor, pero tiene relativamente más calorías que el azúcar, y tu cuerpo no sabe la diferencia. El azúcar es azúcar para tu metabolismo. Como la mayoría de las cosas en la vida, la moderación es la clave. Lo mismo sucede con el azúcar. Puedes ponerle unas pocas cucharaditas por día a tu café y cereal y no sentirte culpable. Si a pesar de eso sientes que el aspartame es tu elección para endulzar, entonces adelante —los expertos han llegado a la conclusión de que su uso es inofensivo durante el embarazo.

Frutas frescas versus jugos

He aquí la diferencia entre frutas frescas y jugos de fruta. La fruta entera tiene la fibra que mantiene en buen funcionamiento a tu colon y estabiliza el azúcar en tu sangre. El jugo de naranja es sano, pero te da un alza instantánea de azúcar sin la fibra. Toma conciencia de la diferencia entre jugos y bebidas con cócteles de frutas: pueden contener tan poco como un 10% de jugo de fruta, el resto es azúcar y agua. Las bebidas con cócteles de frutas no son una forma inteligente ni nutritiva de gastar dinero.

Sal

Deberían permanecer en tu dieta cantidades normales de sal. *La sal no causa toxemia*. A menos que estés comiendo enormes cantidades de comida muy salada, la sal no te provocará retención de líquidos. Continúa usando sal moderadamente a menos que tu médico te indique otra cosa.

Verduras fantásticas

La lechuga y otras verduras de hoja pueden ser buenas fuentes de vitaminas y fibras. Si no eres apasionada por verduras como la mostaza o las coles, sé más creativa con las ensaladas. Experimenta con algo más que con la lechuga arrepollada, que tiene muy poco valor alimenticio o fibras. Trata de mezclar lechuga romana y alguna otra verdura de hoja, como acelga picada cruda. Pica un poco de repollo y échalo adentro. Las combinaciones son infinitas. Ten en cuenta que las ensaladas son muy nutritivas y pobres en calorías, pero los aderezos no lo son. Los que están basados en aceite y vinagre tienen menos calorías que los basados en mayonesa. Necesitas algo de grasa en tu dieta, pero es ahí donde a mucha gente se le va la mano.

Vitaminas y suplementos

¿Alguna vez has olvidado agregar polvo de hornear a la preparación de una torta? Aunque hubieras agregado todos los demás ingredientes, sin el polvo de hornear como catalizador, tu torta probablemente habría sido un fiasco. Comer calorías suficientes sin las vitaminas y minerales adecuados como catalizadores es una experiencia similar: tu cuerpo no es capaz de absorber su cuota necesaria de nutrientes.

Por ejemplo, sin suficientes vitaminas B complejas (B, B6 y B12), tu cuerpo no puede utilizar las grasas, carbohidratos y proteínas que incorporas. La vitamina C es otro ejemplo —además de reconstruir tejidos, aumenta la capacidad de tu cuerpo para absorber hierro.

Las vitaminas en comprimidos no son un sustituto de una dieta bien balanceada. Los expertos coinciden en que una dieta sana provee todas las vitaminas y minerales que necesitas durante el embarazo, excepto hierro y ácido fólico. A pesar de esa creencia, la mayoría de los médicos prescriben suplementos durante el embarazo. Si sientes que quieres o necesitas suplementos vitamínicos durante tu embarazo, habla con tu médico. La clave es no usarlas como sustituto de una dieta pobre o embarcarse en una terapia megavitamínica, lo cual es peligroso para el desarrollo de tu bebé.

Calcio

El calcio falta en la mayoría de las dietas. Las mujeres embarazadas necesitan mucho más calcio que el resto de las personas

—1.200 miligramos por día—. Tu bebé en crecimiento necesita calcio para producir dientes y huesos fuertes. El cuento de las tías viejas es cierto: el bebé extraerá el calcio de las reservas de tus huesos si no acumulas lo suficiente a través de una dieta apropiada y, si es necesario, un suplemento de comprimidos. El empobrecimiento de las reservas de calcio en tus huesos puede derivar en osteoporosis (ablandamiento de los huesos) en tu vida futura. Un consumo adecuado de calcio en este momento es una buena garantía para que no te falte posteriormente. Si tienes dudas acerca de tu consumo de calcio, pídele consejo a tu médico.

El calcio proviene de muchas fuentes, incluyendo las verduras de hoja, pero las fuentes naturalmente más convenientes son los productos lácteos, siendo el mejor la leche. La gente raramente es neutral en relación con la leche. O bien la aman, o la odian, o "ella no los ama". Muchos adultos tienen intolerancia a la lactosa en la leche, que les provoca incómodas y mortificantes erupciones intestinales.

Leche

Si amas la leche y ella te ama, tienes suerte. Puedes obtener todo el calcio que necesitas tomando exactamente cuatro vasos de 250 g de leche por día. Si la leche no se lleva bien contigo, aún hay esperanzas. La mayoría de los mercados ahora tiene leche con agregado de Lactacid, que facilita la digestión. Algunos productores incluso agregan calcio extra. El yogur es también una buena fuente de calcio. Si prefieres besar a un sapo antes que beber leche, tu única fuente es montones de verduras de hoja y suplementos en comprimidos. No necesitas una prescripción para el calcio. La forma más digerible y más fácil de absorción del calcio es el carbonato de calcio. Otras fuentes incluyen aquellas que se muestran en la siguiente tabla.

FUENTES DE CALCIO Requerimientos diarios segundo/tercer trimestre = 1.200 mg		
Alimento	**Medida de la porción (g)**	**Calcio (mg)**
Leche fortificada	230	359
Hojas de nabo crudas	100	246
Repollo crudo	100	203
Hojas de remolacha crudas	100	119
Lechuga romana	100	68
Lechuga arrepollada	100	35

El embarazo es un momento perfecto para evaluar tu dieta y hábitos de comida. Tienes un incentivo real para llevar un estilo de vida más sano. Si sientes que eres irreparable, o quieres atención especial, pídele a tu médico que te recomiende un dietólogo matriculado para una consulta. Es una inversión inteligente para tu bebé y para ti.

Ejercicios

Para aquellas adictas a las delicias del *jogging* o la danza aeróbica, la pregunta crucial es si una tiene que sacrificar las buenas condiciones cardiovasculares, muslos firmes y una cola dura por el bien de un bebé sano. Recién en los últimos años alguien ha tratado objetivamente de evaluar los efectos del ejercicio sobre el embarazo humano. Se han hecho experimentos mediante ejercicios con muchas ratas y ovejas embarazadas en busca de respuestas. Hasta ahora, no parecería que las viejas zapatillas de correr tuvieran que guardarse entre bolas de naftalina.

Los investigadores han descubierto que aunque la sangre se escape del útero durante un ejercicio extenuante —incluso hasta el punto de dejarte exhausta—, el bebé es muy capaz de compensar y no sufre efectos perniciosos. Los temores originales acerca del retraso en el crecimiento y la disminución de peso de los bebés al nacer no son una preocupación. El aumento en la temperatura durante el ejercicio tampoco causa defectos espinales en los bebés. Atletas olímpicas, corredoras e incluso fanáticas de la danza aeróbica han sido estudiadas para determinar los efectos del ejercicio regular durante el embarazo. Fueron comparadas con mujeres embarazadas que no hacían ejercicio. Los resultados en los dos grupos fueron los mismos. Si tú te embarcas en una rutina de ejercicios con la creencia de que esto hará que tu parto sea más corto y más fácil, es muy probable que te desilusiones. Una ojeada a las atletas olímpicas mostró un primer período más largo en el parto pero un segundo período más corto. Los grupos de *aerobic* y *jogging* no mostraron diferencia alguna en ningún período.

Si estás experimentando un embarazo complicado, el ejercicio no está recomendado. Un bebé que ya tiene problemas con niveles reducidos de oxígeno podría no tolerar ni siquiera un ejercicio liviano por parte de la mamá. Habla con tu médico si tienes dudas.

Pautas generales

Ya sea que entrenes o no, el embarazo conlleva algunos cambios físicos que alteran tu capacidad de realizar ciertas actividades. Debido a las hormonas del embarazo, las articulaciones son más inestables y los ligamentos y tejidos, más laxos. Tu centro de gravedad va cambiando a medida que el embarazo avanza. Tu equilibrio es más precario. Tus posibilidades de lastimarte crecen. Tienes que respetar esos cambios temporarios y hacer ajustes en función de ellos.

El propósito seguro y realista del ejercicio durante el embarazo es mantener un nivel de salud física razonable.

Ahora no es tiempo de intentar transformarte de un puré en una mujer de hierro. Si eres sana, y tu embarazo tiene bajo riesgo, el ejercicio es inofensivo. Si tienes una rutina de ejercicios establecida, no hay razón para alterarla. Escucha a tu cuerpo y usa el sentido común combinado con moderación. Si no has hecho ejercicio antes del embarazo, existen programas de ejercicios seguros y efectivos también para ti. Comienza con una actividad física de muy baja intensidad y aumenta los niveles de actividad muy gradualmente.

Si eres una atleta de alta performance, como por ejemplo una

41

maratonista o una instructora de danza aeróbica, es posible que necesites revaluar tu programa habitual de ejercicios y hacer algunos ajustes temporales. No importa cuál es tu nivel de aptitud física, discute tus hábitos de entrenamiento pasados y actuales con tu médico para decidir el mejor nivel y tipo de ejercicio para ti.

La guía de ejercicios en el cuadro de pág. 44 es una adaptación de las recomendaciones del American College of Obstetricians and Gynecologists (ACOG). Estas pautas son muy moderadas y es posible que no se adecuen a las necesidades de la atleta preparada.

Ejercicios energizantes

Entrenamiento acuático

Nadar u otros ejercicios en el agua son particularmente benignos y apropiados para el embarazo. Puedes lograr un estado aeróbico, y no tienes que preocuparte por fallar. Cuando estés cansada, puedes flotar y relajarte. Para obtener el máximo beneficio de tus sesiones, mantén la porción mayor de tu cuerpo en el agua mientras te ejercitas. El agua debería estar a una temperatura confortable. Algunos clubes de salud ofrecen ahora programas de entrenamiento en el agua para embarazadas.

Caminar

Caminar es otro buen ejercicio durante el embarazo porque es delicado para el cuerpo, de bajo impacto, y alivia las articulaciones. Evita usar pesas en tus brazos o piernas ya que agregan estrés a tus ya de por sí inestables articulaciones. Usa buenas zapatillas al caminar para maximizar la estabilidad y el confort. Bebe mucho líquido, y no entrenes cuando está demasiado caluroso o húmedo. Ten en mente tu vejiga para no demorarte en descargarla. Lleva a tu marido a dar caminatas al atardecer —caminar es un gran liberador de estrés.

Andar en bicicleta

Una bicicleta fija es lo más seguro durante el embarazo. No

puedes caerte, no necesitas usar un casco, y no tienes que preocuparte por el tránsito. Asegúrate de que el asiento y la altura sean cómodos. Evita extender en exceso las rodillas y las articulaciones de la cadera mientras pedaleas. Controla tu pulso para evitar exceder el límite de 140 latidos por minuto.

Clases de aerobic

Si las clases de *aerobic* eran parte de tu rutina regular, puedes continuar durante el embarazo con pocos ajustes. Asegúrate de que tu instructor esté al tanto de que estás embarazada. No trates de seguir el ritmo de tus compañeras no embarazadas. Algunos días simplemente no tendrás la energía, de modo que escucha tu cuerpo. Ten conciencia de que tu centro de gravedad se altera. Estudia los NO en las guías ACOG y modifica tus movimientos de modo de evitar aquellos violentos y los sacudones. Monitorea tu pulso y mantente dentro de las pautas.

Los *videotapes* de *aerobic* son muy populares porque puedes permanecer en casa en la privacidad de tu living. Los videos de bajo impacto son generalmente los mejores para las mujeres embarazadas. Asegúrate de que tienes el suficiente espacio como para moverte a tus anchas y una buena ventilación. Monitorea el ritmo de tu corazón.

Si los *aerobics* no fueran parte de tu rutina de ejercicios, busca una clase para mujeres embarazadas. Pregunta si tu instructor está preparado para enseñar a mujeres embarazadas. Si tiene un certificado de alguna organización de futuras madres, de medicina deportiva o alguna asociación de entrenamiento aeróbico, estás bien encaminada. La ventaja de una clase exclusiva para embarazadas es la oportunidad de conocer a otras mujeres en la misma condición y compartir experiencias.

Entrenamiento con pesas

El entrenamiento con pesas es una forma efectiva de fortalecer y tonificar tus músculos. Puede brindarte el complemento para tus ejercicios aeróbicos. Usa pesas de livianas a moderadas. Evita ejercicios que puedan estresar la zona inferior de tu espalda o hagan presión sobre tus músculos abdominales. Recuerda respirar mientras   43 levantas pesas, exhalando cuando haces el esfuerzo e inhalando en la relajación. Los aparatos son mejores que las pesas individuales porque son más estables. Ten cuidado de no forzar las articulaciones si usas pesas individuales. Los estiramientos para calentar y los ejercicios de enfriamiento son especialmente importantes para el levantamiento de pesas porque tus músculos se tensan. Si es posible, consulta con alguien que tenga conocimientos acerca de pesas y explícale los límites de las guías ACOG para asegurarte de que tienes un programa seguro y efectivo.

Yoga

Menciona el yoga y la mayoría de la gente evocará inmediatamente el cuadro estereotipado de alguien sentado en la posición de loto con los ojos cerrados, la mente tranquilamente abocada a la contemplación de los misterios del universo —o sus ombligos—. El yoga no es únicamente para la mente. Algunos tipos de yoga tales como el lyenegar se concentran en el cuerpo. Practicado en forma apropiada, fortalece, tonifica y estira tus músculos. Es un probado liberador de estrés y no necesitas ningún equipamiento especial. También ayuda a adquirir concentración, persistencia y paciencia —cualidades ideales para tu inminente trabajo de parto y la experiencia de dar a luz—. Recorre los institutos o clubes de tu zona para tomar clases de yoga o de estiramiento y tonicidad.

Recuerda, el ejercicio te dará una sensación de bienestar, levantará tu espíritu y disminuirá el estrés. Eso es algo bueno para cualquiera. Mira los ejercicios recomendados en el Apéndice 1.

PAUTAS PARA REALIZAR EJERCICIOS

Embarazo y posparto

Sí:

1. Practica ejercicios regulares al menos tres veces por semana.
2. Antes de un ejercicio vigoroso practica cinco minutos de calentamiento de músculos. Una caminata lenta o bicicleta fija con baja resistencia son efectivas.
3. Disminuye gradualmente la actividad. Por ejemplo, si has

estado caminando rápido, termina con una marcha lenta. Concluye con un suave estiramiento. Estírate lenta y firmemente. Mantén el estiramiento por alrededor de 20 segundos y relájate en él. Evita movimientos bruscos que hagan crujir tus músculos como bandas elásticas. De esa manera te dañas a ti misma.

4. Tómate el pulso durante el pico de actividad. Lleva un control de tus pulsaciones dentro de límites establecidos por tu médico. *El ritmo del corazón de una embarazada no debería exceder los 140 latidos por minuto.* Necesitas un reloj con segundero. Si cuentas 23 latidos en 10 segundos, estás dentro de los límites. Los negocios para atletas también venden dispositivos que abrochan en tu dedo y te dan un registro continuo de la velocidad de tu pulso. En general, si eres capaz de mantener una conversación cómodamente mientras haces ejercicio, el ritmo de tu corazón está probablemente dentro de los límites recomendados. Verifícalo para estar segura.

5. Haz tus ejercicios sobre piso de madera o una superficie firmemente alfombrada para reducir el impacto y proporcionarte una base segura.

6. Levántate gradualmente para evitar mareos de los ejercicios en los que estás acostada en el piso. Mueve tus piernas periódicamente para que tu sangre circule constantemente.

7. Bebe líquidos antes y después de los ejercicios para prevenir la deshidratación. Repone fluidos cuantas veces sea necesario.

8. Asegura un consumo calórico adecuado para cumplir con las necesidades de energía extra del embarazo y con la realización de ejercicios.

9. Consulta a tu médico si aparece cualquier tipo de síntomas inusuales durante los ejercicios.

No:

1. No hagas ejercicios en días cálidos y húmedos ni durante una enfermedad si tienes fiebre.

2. No participes en ningún tipo de gimnasia que requiera flexiones profundas o extensiones de articulaciones, saltos, movimientos vibratorios o cambios rápidos de dirección. No realices movimientos violentos y bruscos como aquellos que se realizan en pelotapaleta, tenis o *aerobic* de alto impacto. No obstante, si estás en buenas condiciones y has estado participando en este tipo de

deportes antes del embarazo, escucha a tu cuerpo. Sabrás cuándo es necesario modificar tu régimen de ejercicios.

No, únicamente en el embarazo:

3. No hagas ejercicios arduos por más de 15 minutos.

4. No te acuestes estirada boca arriba después de concluido el cuarto mes de embarazo.

5. No dejes que la temperatura de tu cuerpo suba a más de 38 grados centígrados.

6. No realices ejercicios que requieran mantener el aire o ejercer presión hacia abajo (maniobra Valsalva).

5

Afecciones comunes en el embarazo

Mientras disfrutas de tu nueva figura de embarazada, el aumento de hormonas y el del volumen de sangre combinados con tu útero que se agranda producen esos malestares que van y vienen a lo largo del embarazo. Aunque algunas mujeres sufren más malestares que otras, probablemente tú tengas tu parte. Puedes esperar más o diferentes malestares con cada embarazo sucesivo. Es un lugar común pero es verdad: "Cada embarazo es diferente". Remedios "no convencionales" pueden hallarse en la sección de acupuntura/masaje en el Capítulo 16 ("Trabajo de parto").

Dolor de espalda

Es raro que una mujer embarazada pueda escapar de los dolores de espalda. Tu útero agrandado arroja tu peso hacia adelante y tensiona mucho tu espalda y los músculos de tus piernas. Los mecanismos normales del cuerpo se alteran, causando estrés muscular y una creciente compresión en las articulaciones de la espalda. Esto puede dar como resultado dolor e incluso espasmos insoportables.

• SUGERENCIAS ÚTILES

La prevención, como de costumbre, es el mejor tratamiento. Observa una buena mecánica corporal:

1. Agáchate con tus rodillas, ¡no con tu espalda! Levántate con tus piernas, mantén objetos cerca de tu cuerpo, e inclínate hacia adelante para evitar súbitos desvíos de peso. Levanta objetos solamente hasta el tórax. Cuando la carga es pesada, pide ayuda. Siempre apóyate bien en tus pies.

2. Párate en un pie; cambia de posición frecuentemente. Una pequeña tarima para pies te ayudará, especialmente cuando estás lavando los platos o planchando. Camina con una buena postura, manteniendo tu cabeza alta, tu esternón arriba, hombros relajados. Usa ropa cómoda, zapatos chatos con tacos de no más de 2,5 centímetros.

3. Desplaza el asiento del auto hacia adelante para mantener las rodillas flexionadas y más altas que tus caderas. Deberías usar un pequeño almohadón para apoyar la zona lumbar.

4. Siéntate en sillas lo suficientemente bajas como para colocar los pies en el piso, con las rodillas más altas que tus caderas.

5. Un buen sueño nocturno es vital. Deberías tener un colchón firme. Algunas personas consideran de gran ayuda una cama de agua; es una preferencia personal. Duerme sobre un costado con tus

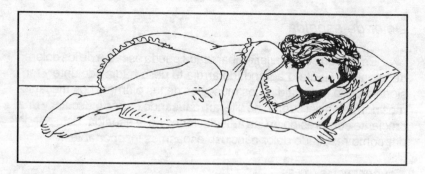

rodillas flexionadas hacia el pecho. Una almohada entre tus rodillas te ayudará a estar más cómoda.

Los siguientes ejercicios ayudan a estirar y descansar los músculos de tu espalda, aliviando el malestar. Si el dolor de espalda persiste, es posible que quieras pedirle a tu médido que te recomiende un terapeuta físico que pueda organizarte un régimen más detallado para fortalecer tus músculos. Cierto tipo de ejercicios de yoga, como Iyenegar, ayudan a fortalecer, estirar y tonificar los músculos de tu espalda.

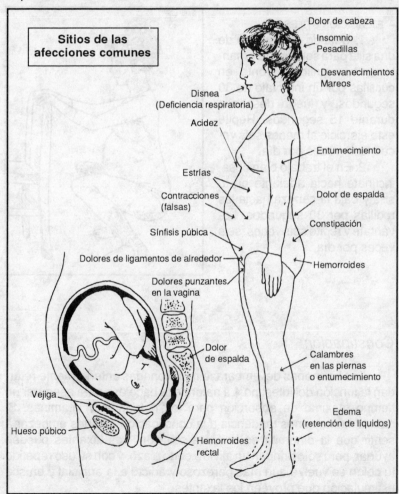

Sitios de las afecciones comunes

Dolor de cabeza

Insomnio
Pesadillas

Desvanecimientos
Mareos

Disnea
(Deficiencia respiratoria)

Acidez

Entumecimiento

Estrías

Contracciones
(falsas)

Dolor de espalda

Síntisis púbica

Constipación

Dolores de ligamentos de alrededor

Hemorroides

Dolores punzantes
en la vagina

Dolor
de espalda

Calambres
en las piernas
o entumecimiento

Vejiga

Edema
(retención de líquidos)

Hueso púbico

Hemorroides
rectal

Si estás en tu trabajo y experimentas tensión en la espalda, tómate unos pocos minutos por hora para dar un respiro a tu espalda. Esto es especialmente importante si estás sentada frente a una computadora todo el día. A continuación figuran algunas posiciones descansadas que pueden aliviar tu espalda enderezando tu columna y arqueando tu pelvis hacia atrás.

• EJERCICIOS ÚTILES

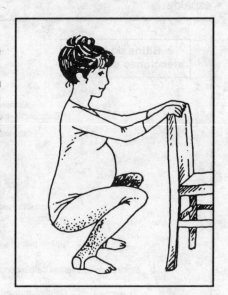

1. Usando el respaldo de una silla para sostenerte y mantener tu equilibrio, ponte en cuclillas por un intervalo de 30 segundos, y luego descansa durante 15 segundos. Repite este ejercicio al menos seis veces, seis veces por día.

2. En el trabajo o en casa, inclínate hacia adelante en tu silla y baja la cabeza hacia las rodillas por 30 segundos. Levántate y repite seis veces, seis veces por día.

Constipación

Las hormonas del embarazo mencionadas anteriormente retardan la función del intestino. La naturaleza hace eso para asegurar un tiempo máximo de absorción para los nutrientes y vitaminas. Si naturalmente tienes tendencia a la constipación, puedes empezar a sentir que la dinamita es la única solución. Los laxantes pueden ayudar, pero sólo brindan un alivio a corto plazo, y con su uso repetido tu colon se vuelve aun más perezoso y adicto a la artificial y brusca estimulación que proveen los laxantes.

En vez de usar laxantes, agrega 3 cucharadas de salvado sin procesar a un cereal rico en fibras como copos de salvado en el desayuno, o simplemente mezcla el salvado con leche o jugo. Si eso no ha actuado a la mañana siguiente, agrega otra cucharada a las 3 originales. Continúa agregando más cada mañana hasta que obtengas resultados; algunas personas requieren más que otras. Éste es el método práctico más seguro e infalible para tratar la constipación, al mismo tiempo que el más barato. Trata de agregar más verduras de hoja y frutas a tu dieta.

Contracciones "falsas"

Hacia el cuarto mes, es posible que notes que tu abdomen ocasionalmente se pone tenso, como si el bebé se hubiera arrollado como una pelota. Podrías sentir algún tipo de presión en la zona inferior de tu abdomen y una leve molestia, aunque no un dolor real. Éstas son las contracciones de Braxton-Hick o "falsas". El útero se está preparando para el evento real. El músculo uterino se ejercita para mantener su tono y hacer un buen trabajo cuando llegue el momento del parto.

Disnea (deficiencia respiratoria)

Aún no existe una explicación definitiva para la deficiencia   51 respiratoria que algunas mujeres experimentan durante el embarazo. Lo que sí sabemos es que el incremento de la hormona progesterona hace que el centro respiratorio esté más sensible. La progesterona hace que respires más rápido (hiperventilación), y algunas mujeres, más sensibles a este cambio, sienten una falta de aire.

Edema (pies y tobillos hinchados)

Al menos la mitad de las mujeres embarazadas tienen los pies y tobillos inflamados durante el embarazo, lo cual es normal y se considera un signo de un embarazo sano. La hinchazón o retención de líquidos llamada edema es más perceptible al fin del día. Es un resultado del volumen extra de sangre que adquieres normalmente durante el embarazo. Tu útero en crecimiento ejerce presión sobre tus extremidades inferiores, donde la sangre se asienta. La presión de la sangre impulsa al agua dentro de los tejidos de tus pies y tobillos. Una excesiva indulgencia en comidas saladas puede agravar la situación. El líquido introducido dentro de tus pies y tobillos no es exceso de líquido; éste está meramente desplazado y necesita ser devuelto a tu sistema circulatorio.

Precaución

No tomes diuréticos. Los médicos ya no los recomiendan para edemas. Tomarlos durante el embarazo puede causar un serio desequilibrio químico en tu cuerpo.

• SUGERENCIAS ÚTILES

Hay una solución segura, simple y relajante para el problema del edema. Acuéstate sobre tu costado izquierdo dos veces por día durante media hora y el problema se solucionará solo. Esta posición alivia la presión y deja que tu sistema reabsorba el líquido. Si hay líquido extra, tus riñones lo eliminarán. ¡Ahora sabes por qué pasas tanto tiempo de noche corriendo al baño!

Desvanecimiento y mareos

Estos dos síntomas, solos o en combinación, pueden ser causados por la forma en que estás sentada o de pie, por comer alimentos equivocados, o por no comer con frecuencia lo suficiente. Si te acuestas estirada boca arriba, tu útero comprime las arterias mayores e impide que circule mucha de la sangre que te abastece a ti y a tu bebé. Te sientes mareada, nauseosa y con vahídos. Si te quedas boca arriba, realmente puedes desvanecerte y provocar una caída peligrosa en la presión sanguínea. Algunas mujeres son más propensas que otras a sufrir desvanecimientos, pero debes evitar la posibilidad.

• SUGERENCIAS ÚTILES

Después del quinto mes de embarazo, no te acuestes estirada boca arriba; duerme o acuéstate sobre un costado en una posición semiincorporada. Informa a tu marido que si te desvaneces, tiene que ponerte sobre tu costado derecho para que tu presión sanguínea pueda recobrarse.

Sentirte mareada mientras estás parada en un sitio por mucho tiempo, como por ejemplo en la fila de un almacén, es muy común. Nuevamente, tu útero comprime las arterias mayores, encerrando la sangre en tus piernas y provocando que tu presión sanguínea baje.

Si comienzas a sentirte mareada, cambia tu peso de una pierna a la otra. El movimiento hará que tu circulación vuelva a funcionar. Tu madre lo llamaba "impaciencia".

La primera fuente de combustible para tu bebé es el azúcar en tu sangre. Para que tu sistema se abastezca de este combustible, necesitas también una fuente constante de tí misma: alimentos. Si salteas comidas o pasas demasiado tiempo sin comer, el azúcar en tu sangre baja y comienzas a sentirte mareada, irritable, temblorosa y con jaqueca, una condición conocida como hipoglucemia.

Considera esta analogía: ¿qué pasa cuando enciendes un fuego y tratas de mantenerlo vivo usando solamente papel como combustible? El fuego arde rápido, y tú debes estar agregando más papel frecuentemente para mantenerlo vivo. Eso simplemente no es eficiente. Si usas madera para alimentar el fuego, ésta lenta y firmemente libera su energía. Este principio se aplica a tu consumo de alimentos y su relación con los niveles de tu azúcar en sangre.

• MÁS SUGERENCIAS ÚTILES

Evita comer carbohidratos simples (azúcar). Los alimentos pro-   53 cesados habitualmente tienen grandes cantidades de azúcar agregada. Porque tu sistema los quema rápidamente, los carbohidratos simples mantienen el nivel del azúcar en tu sangre en una montaña rusa con picos y valles insanos. Come alimentos que se queden dentro de ti, tales como leche, queso, fruta fresca, pan y cereal. Los carbohidratos complejos mantienen también tu azúcar en sangre. La comida "chatarra" es el combustible de papel para tu organismo; los carbohidratos complejos son la madera. Descubrirás que comiendo de cuatro a seis pequeñas comidas por día evitarás "la melancolía del azúcar".

Acidez

El útero que se agranda y las hormonas del embarazo son los culpables de esta afección común. El útero empuja al estómago hacia arriba a medida que crece. Las hormonas del embarazo retardan la digestión, de modo que el estómago no se vacía tan rápido, posibilitando que el ácido de tu estómago suba rápidamente hacia tu garganta y rebote fuera de tus cuerdas vocales. ¡Es desagradable y tiene un gusto terrible!

Precaución

No uses bicarbonato de sodio. Tiene un alto contenido en sal y puede agravar la hinchazón de pies y tobillos haciendo que tu cuerpo retenga más agua de la que necesita.

• SUGERENCIAS ÚTILES

Evita comidas abundantes o con especias no habituales antes de ir a dormir. Existen antiácidos en el mercado que a menudo ayudan. (Lee el comentario sobre antiácidos en el Capítulo 7.) Duerme en una posición semifetal, con dos o tres almohadas. La cura para la acidez llega cuando tienes a tu bebé.

Dolor de cabeza

El dolor de cabeza es una afección común, especialmente en el primer trimestre. No se conoce la causa.

Precaución

Durante el primer trimestre de embarazo, *no tomes medicación de ninguna clase sin consultar a tu médico*. Nadie sabe con seguridad qué efectos tienen incluso los medicamentos comunes sobre el bebé en el embarazo temprano. Después del primer trimestre puedes tomar Tylenol, pero en el último trimestre evita las aspirinas porque pueden tener efectos adversos sobre el mecanismo de coagulación de sangre en ti y tu bebé. La ingestión crónica de aspirina en el embarazo puede incrementar la anemia, hemorragias, embarazo prolongado, mortalidad fetal y bajo peso en el nacimiento. El paracetamol es más inofensivo que la aspirina porque causa menos molestias. Observa el comentario sobre drogas sin receta en el Capítulo 7.

• SUGERENCIAS ÚTILES

1. Acuéstate con un paño mojado y frío sobre la frente y descansa. Podría resultarte útil practicar las técnicas de relajación de la meditación o aquellas que aprendes en el curso de preparación de parto.

2. No pases largos períodos sin comer. Ingiere una manzana o toma un vaso de leche.

3. Pídele a tu marido que te haga un masaje en los pies. Las puntas de los dedos mayores son los puntos de acupresión para la cabeza. Un masaje hecho con presión firme en estas áreas puede ayudar a aliviar el dolor de cabeza.

Hemorroides

Las hemorroides son grandes venas dilatadas con sangre (varicosidades), habitualmente en el área rectal y a veces también en la vagina. La circulación despareja y retardada a causa del útero en crecimiento, y la constipación, habitualmente agravan el problema durante el embarazo. El parto alivia la presión en esa área, y las hemorroides por lo general desaparecen.

• SUGERENCIAS ÚTILES

Evita la constipación incluyendo salvado y fibras en tu dieta. No

55

permanezcas de pie ni sentada en un lugar demasiado tiempo. Puedes tratar el dolor y la hinchazón rociando las áreas afectadas con agua tibia y agentes anestésicos.

Insomnio

En el embarazo temprano y luego en los últimos meses, es posible que te resulte difícil conciliar el sueño. Nuevos informes sugieren una relación entre cafeína e insomnio en mujeres embarazadas. La desintegración y la eliminación de cafeína durante el embarazo son lentas. Incluso beber pequeñas cantidades podría afectar tu sueño. Elimina la cafeína por unos días y fíjate si ayuda.

• SUGERENCIAS ÚTILES
 1. Toma un baño tibio.
 2. Practica meditación o técnicas de preparación de parto para relajarte lo suficiente con el fin de desconectarte y dormir.

Calambres en las piernas y piernas "inquietas"

Justo cuando logras dormirte (y exactamente en la mitad de tu sueño con Robert Redford), aparece un irritante calambre en una pierna que vuelve a despertarte. Los calambres de piernas posiblemente sean causados por una deficiencia en calcio, aunque tomar más leche o comprimidos de calcio no ha sido lo más exitoso en la cura de estos calambres. Los investigadores consideran que hay diversos factores que pueden causarlos. Uno es una dieta rica en fósforo, un elemento que se encuentra comúnmente en la comida chatarra altamente procesada y en la leche. La alteración postural del embarazo juega también un rol importante; la inclinación de tu peso hacia adelante tensiona esos músculos de las piernas, contribuyendo al acalambramiento nocturno.

• SUGERENCIAS ÚTILES
Practica los ejercicios preventivos descriptos más adelante. Si hubiera que parar un calambre, haz que tu marido empuje la planta de

tu pie hacia ti de modo que las puntas de los dedos apunten a tus rodillas. Si ejerce una presión firme por alrededor de un minuto, el calambre desaparecerá. Si él no es hábil, levántate y haz el ejercicio descripto abajo.

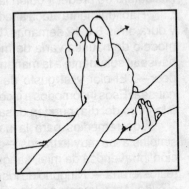

Puedes prevenir los calambres de piernas siguiendo una rutina simple antes de ir a la cama. Toma un baño tibio para aflojar esos músculos tensos y cansados. Antes de meterte en la cama, haz el ejercicio que los atletas usan para estirar los músculos de la pantorrilla: párate a unos 60 centímetros de la pared, con las manos apoyadas sobre ésta a la altura de los ojos. Extiende una pierna hacia atrás sin doblar la rodilla. Mantén los talones sobre el piso e inclínate hacia adelante hasta que sientas un estiramiento en la pierna de atrás. Sostén el estiramiento por 20 o 30 segundos, haciendo que sea firme y no un rebote que presiona tus músculos como bandas elásticas. Repite el estiramiento hasta que no sientas ninguna tensión en los músculos de tu pantorrilla.

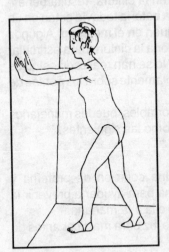

Estirar los músculos de las pantorrillas también alivia piernas "inquietas". Tratas de desconectarte para dormir, pero tus piernas parecen tener vida propia, moviéndose y temblando como si estuvieran poseídas por pequeños duendes traviesos. Tus pantorrillas te están diciendo que necesitan relajarse, de modo que levántate y haz el estiramiento de la pared.

Náusea y vómitos (malestar matinal)

La náusea es la plaga del embarazo. No hay forma de prevenirla, ni siquiera de predecir quién la tendrá.

Habitualmente ataca alrededor de la sexta semana de embarazo y dura otras 6 a 12 semanas. La causa permanece desconocida. El modelo de náusea varía de mujer a mujer —algunas experimentan náuseas solamente a la mañana, mientras que para otras la noche es peor—. El olor y el gusto de ciertos alimentos también provocan náusea. Esos incómodos e inconvenientes síntomas pueden ir y venir a lo largo del día, pueden desaparecer y luego volver.

Los remedios para la náusea han recorrido la gama de los simples a los muy extraños —desde vitamina B12 hasta administración intravenosa de miel, sangre del marido y la hormona masculina testosterona—. Ninguno de los arriba mencionados se ha topado con el éxito. Actualmente no se recomienda ninguna droga en el mercado como efectiva para la náusea producida en el embarazo. El uso de estimulación eléctrica transcutánea de nervios (TENS), en los puntos de acupresión para la náusea ubicados en la cintura, resulta beneficioso. Los aparatos eléctricos operados a batería todavía están en un estadio experimental y aún no se consiguen en el mercado. Algunos fabricantes ofrecen una banda que presiona la cintura para estimular los puntos de acupuntura de la náusea. No se han realizado estudios que convaliden la utilidad de la presión solamente sobre los puntos de acupuntura, pero podría funcionar.

Si tu náusea y vómitos no son insoportables, puedes manejarlos habitualmente con simples soluciones como las siguientes.

• SUGERENCIAS ÚTILES

1. Antes de ir a la cama, toma una colación de proteína y carbohidratos como leche o una manzana para ayudar a prevenir la hipoglucemia y la náusea que viene con ella a la mañana.

2. Deja unas galletitas en tu mesa de luz para masticar antes de levantarte a la mañana.

3. Come raciones pequeñas pero frecuentes, y evita los alimentos que agravan tu malestar.

Si aun así te sientes asqueada, te cuesta funcionar y comienzas a perder peso, no seas una mártir. Cuando una náusea severa y vómitos persisten, tu cuerpo puede desarrollar un serio disturbio metabólico que requiere hospitalización con terapia IV. (intravenosa). Consulta a tu médico antes de que las cosas pierdan el control.

Si vomitas continuamente sin alivio, recuerda que la acupuntura ha tenido gran éxito en estudios con pacientes en quimioterapia. La acupuntura se ha convertido en una parte aceptada de nuestra medicina occidental. Muchos seguros médicos cubren los costos de terapia con acupuntura. Muchas clínicas de maternidad la ofrecen como una terapia opcional. La acupuntura es más barata que la hospitalización y vale la pena probarla, especialmente si ninguna otra cosa funciona. Pídele a tu médico referencias de un acupunturista matriculado.

Pesadillas

Sueños aterradores de bebés deformes y abortos invaden a algunas mujeres durante el embarazo temprano. En los últimos meses, las pesadillas pueden centrarse en el trabajo de parto y el inminente rol materno. Naturalmente estarás ansiosa por tu nuevo desempeño como madre. Aun las mujeres más confiadas tendrán dudas de vez en cuando.

• SUGERENCIAS ÚTILES

Si no estás segura de lo que significan tus sueños y te perturban, compra un libro de sueños para que te ayude a explicártelos. Comenta tus sueños con tu marido o con una amiga; el solo hecho de hablar de ellos los vuelve menos aterradores. Es probable que alguien que conozcas haya tenido sueños similares durante el embarazo.

Hemorragias nasales

Las hemorragias nasales son muy comunes en el embarazo. El aumento en la producción de sangre tensiona las delicadas venas de la nariz, que a veces se rompen con mucha facilidad.

• SUGERENCIAS ÚTILES

1. Cuando tengas una hemorragia nasal, aprieta con fuerza las aletas de tu nariz.

2. Permanece sentada. Si te acuestas, la sangre corre a tu estómago y puedes sentir náuseas y vomitar.

3. Mantén una presión firme por lo menos durante 4 o 5 minutos.

4. Puede resultar de ayuda aplicar un paño frío en la nuca.

Entumecimiento en piernas y brazos

Es frecuente que una mujer embarazada descubra que una de sus piernas se rehúsa a funcionar cuando está de pie; simplemente se deja llevar. Te despiertas en la mañana pero uno de tus brazos está dormido. Esos síntomas pueden asustarte, pero descansa segura porque no tienes un tumor cerebral o algo peor. La alteración de la postura en el embarazo causa el problema. Tu peso desviado presiona sobre nervios sensibles, provocando entumecimiento y hormigueo. Si saltas de la cama rápidamente, una de tus piernas podría no cooperar y es posible que también te sientas mareada.

• SUGERENCIAS ÚTILES

Aprende a levantarte lentamente y dale a tu cuerpo la oportunidad de reunir fuerzas para la acción. Siéntate sobre el borde de la cama y haz un inventario de lo que parece estar funcionando y de aquello que no. Esto le da a tu circulación una chance de recuperarse.

Dolor de sínfisis púbica (dolor de pelvis cuando caminas)

Las influencias hormonales provocan un mayor movimiento de las áreas de la cadera y la ingle (sacroilíaca) y de la vértebra caudal (coxis). En algunas mujeres, los huesos realmente se separan un poco y eso duele. Lamento decirlo, pero éste es uno de los dolores y molestias respecto de los cuales no puedes hacer mucho.

• SUGERENCIAS ÚTILES

Descálzate. Prueba la siguiente "carretilla" y ejercicios de inclinación de pelvis.

Para hacer la carretilla: acuéstate boca arriba semiincorporada y pídele a alguien que agarre tus tobillos; luego flexiona las rodillas y eleva tus caderas de la cama. Practicar este ejercicio varias veces por día ayudará a aligerar la presión de tus ligamentos y aliviará en algo el dolor.

Dolores punzantes en la vagina

Este problema habitualmente pasa rápido y raramente causa demasiadas molestias. Es como un pequeño sobresalto la primera vez que lo experimentas. La presión uterina sobre los nervios adyacentes causa el dolor. La sensación es de punzadas o pinchazos dentro de la vagina.

• SUGERENCIAS ÚTILES
Si estás muy molesta, eleva tus pies para aliviar la presión.

Estrías

Evitar las estrías durante el embarazo es estrictamente una cuestión de suerte y de genes correctos —nada más—. O tienes la clase correcta de tejido cutáneo o no. Contrariamente a la creencia popular, lo que pones sobre la capa externa de tu piel no previene estrías, que ocurren desde el interior, influidas por el tipo de piel que has heredado. De modo que no pases horas untando manteca de cacao y otra prevención supuesta para estrías por todo tu cuerpo: no funcionará.

Si se te forman estrías, se aligerarán después de que tengas a tu bebé. En la mayoría de las mujeres se convierten en suaves líneas que apenas se pueden ver, pero no desaparecen completamente. Es uno de los precios que se pagan por ser mamá.

Flujo vaginal

El embarazo produce un aumento del flujo vaginal, que es claro y mucoso y que no tiene olor. Es normal y no se necesita ningún tratamiento. Si tu flujo se vuelve blanco, con una consistencia espesa, 61 y pica, probablemente tienes una infección por fermento. Un desagradable olor vaginal también es anormal. Si las condiciones arriba mencionadas ocurren, consulta a tu médico. Se toma una muestra del flujo para ver específicamente qué tipo de infección tienes, si es que tienes alguna. Tu médico entonces te prescribirá la medicación apropiada.

Várices en piernas y labios

Durante el embarazo es común que las mujeres desarrollen várices en las piernas e incluso en los labios de la vulva. Estas venas hinchadas son resultado de la presión de tu útero que se agranda y aprisiona la sangre en tus extremidades inferiores. Las varicosidades casi siempre desaparecen después del parto.

• SUGERENCIAS ÚTILES

Alivia la presión de tu útero sobre esas extremidades. No te quedes sentada o de pie por largos períodos. Descansa periódicamente con tus pies elevados. Usar calzas con refuerzo suele ser una gran ayuda. Para problemas severos, puedes mandar a hacer calzas con refuerzo especiales; pregúntale a tu médico si crees que las necesitas.

Infecciones en el conducto urinario

El conducto urinario es un sitio común de infecciones en mujeres embarazadas. Considera la posibilidad de una infección si sientes ardor al orinar y sólo eres capaz de dominar pequeñas cantidades por vez, aunque sientas como si estuvieras inundada hasta los globos oculares. Las infecciones en el canal urinario sin tratar son la causa más común de síntomas de parto antes de término, de modo que visita a tu médico si piensas que tienes esa clase de infección.

6

Trabajo y juego

La supermujer ideal de hoy trabaja todo el día, vuelve trotando a casa, y todavía tiene tiempo y energía para limpiar y preparar una salsa. Cuando queda embarazada, no tiene planeado alterar su estilo de vida. ¿Debería hacerlo? La respuesta parece ser "no" para las embarazadas sanas y de bajo riesgo.

Trabajo

Las opiniones de los médicos varían en relación a cuánto tiempo una mujer embarazada puede continuar trabajando. En la medida en que tu embarazo se desarrolle sin complicaciones, la mayoría de los médicos estarán de acuerdo en que trabajes hasta tu fecha de parto. Otros sugerirán que dejes de trabajar de 2 a 4 semanas antes de la fecha. Si eres una leñadora, camionera, empleada de una casa de mudanzas o una agente de la CIA apostada en Medio Oriente, es posible que tengas que pedir una transferencia temporaria a un trabajo que te demande menos físicamente o sea menos estresante. Es posible que tu médico te aconseje que te vuelvas más casera en las últimas 6 a 12 semanas. Puede ser que tengas que retirarte al menos 12 semanas antes de término si tienes complicaciones en el embarazo como historia previa de ruptura de membranas, parto prematuro, alta presión sanguínea o bien si son mellizos. No hay pautas estrictas y 63 absolutas; tu médico evaluará tu situación y comentará tus opciones y alternativas.

Después de que nazca tu bebé, planea quedarte en casa de 4 a 6 semanas, si puedes. Realmente necesitas tiempo para recuperarte física y emocionalmente. Volver al trabajo enseguida puede hacer más difícil el período de ajuste, especialmente cuando estás trabajando con un déficit de sueño. Algunas compañías incluso dan a los nuevos padres una licencia por maternidad. Averígualo. Procura toda la ayuda que puedas obtener.

Existía cierta preocupación respecto de los riesgos de la exposición a las pantallas de video de las computadoras, especialmente para mujeres embarazadas. La preocupación es por el aumento del peligro de aborto. Puedes descartar la preocupación inicial acerca de los campos magnéticos de baja frecuencia y la radiación ultravioleta porque no es un problema. Tampoco existe riesgo de abortar. Puedes relajarte si eres una de los millones de personas que usan diariamente computadoras en el trabajo.

Toma un descanso
de 15 minutos
cada 2 horas.

Muchos médicos recomiendan un descanso de 15 minutos cada 2 horas para mejorar la circulación, reducir la tensión ocular y relajar los músculos de la espalda. Lee los ejercicios en el Capítulo 5, "Afecciones comunes en el embarazo", para buscar maneras útiles de relajar aquellos músculos cansados de la espalda. Los siguientes son ejercicios simples para relajar ojos estresados y cansados.

Parpadear y respirar
1. Cierra tus ojos e inhala y mantén la respiración por 1 a 2 segundos.
2. Exhala, abre los ojos y enfoca objetos pequeños y lejanos, al menos a 6 metros o más.

Tapar con las palmas
1. Siéntate en una posición cómoda y apoya tus codos sobre una mesa.
2. Coloca tus palmas sobre los ojos, las manos entrelazadas, y luego ahuécalas.
3. Cierra los párpados y respira profundamente; exhala y relájate.
4. Visualiza un objeto como por ejemplo un salero frente a ti. Concéntrate en cada detalle. Desarrolla tu poder de concentración.

Cerca y lejos
1. Fija tu vista en un objeto alejado.
2. Mueve tu vista rápidamente a un objeto pequeño enfrente de ti, como una palabra sobre una hoja de papel.
3. Alterna tu vista, hacia atrás y hacia adelante, entre los dos objetos, por 30 segundos.

Focalización
1. Sosteniendo un lápiz a 5-8 cm de tu nariz, visualiza un reloj frente a ti que esté puesto a la una en punto.
2. Sostén el lápiz a 5-8 cm de ti en la posición de la una en punto.
3. De la posición una en punto, mueve el lápiz lentamente y toca tu nariz; sigue su trayectoria con tus ojos. No muevas la cabeza.
4. Repite el ejercicio alrededor de todo el reloj desde la posición de la una a las doce en punto.

Discute tu trabajo con tu médico, especialmente si sientes que tienes un trabajo riesgoso o has estado expuesta a sustancias químicas potencialmente dañinas o contaminantes. Generalmente, trabajar durante el embarazo es como el sexo —si todavía te sientes bien haciéndolo, sigue adelante.

Baños calientes

Debe de haber una relación entre hipertermia y defectos en la columna vertebral de los bebés. Sentada en el agua con una temperatura de 39°, lograrás que la temperatura de tu cuerpo suba a 39° en 10 minutos (hipertermia). Especialmente en el primer trimestre, evita baños calientes y saunas a 39° de calor o más. Salir y entrar cada 10 minutos tampoco evitará el problema porque a tu cuerpo le lleva 45 minutos volver a la normalidad. Mantén la temperatura del agua a 37° o menos por seguridad. Evita sesiones de baño prolongadas. Por otra parte, no es cierto el rumor de que puedes adquirir herpes sentándote en una bañadera caliente.

Deportes

Algunos deportes se vuelven peligrosos durante el embarazo por los posibles riesgos de caer. El líquido amniótico amortigua bien al bebé, pero la fuerza de un impacto podría provocar que la placenta se separara del útero, causando, en el mejor de los casos, una disminución de oxígeno, y en el peor de los casos, la muerte para el bebé y posiblemente para ti por la hemorragia. Usa el buen juicio. El embarazo no es tiempo de esquiar o escalar montañas. Los deportes peligrosos incluyen:

- Montar a caballo, especialmente para la inexperta.
- Esquiar en la nieve.
- Si practicas esquí acuático después del primer trimestre, usa un traje impermeable. Cuando caes, el agua puede entrar en tu vagina y útero, lo cual puede dar como resultado una embolia.

Aun si eres experta en estos deportes, tienes una probabilidad más grande que la normal de dañarte porque el peso adicional y los ligamentos y articulaciones laxos alteran tu equilibrio. Básicamente, recuerda que estás embarazada. Tienes que decidir si el riesgo vale la pena. Mira los variados ejercicios en el Capítulo 4, "Estado físico en el embarazo", y el Apéndice 1 por sugerencias sobre cómo mantener tu estado físico.

Viajes

Somos una sociedad muy móvil y las preguntas acerca de los viajes durante el embarazo afloran con frecuencia. Generalmente, viajar "lejos" en los seis primeros meses de tu embarazo es inocuo. Consulta con tu médico si puedes viajar durante los últimos tres meses. Considera qué harías si tuvieras que parir en un lugar extraño. Habla con tu médico antes de salir de vacaciones y pídele que te recomiende un colega en la ciudad que visitarás en caso de que tengas algún problema médico. Averigua si tu seguro médico cubre un parto fuera de su jurisdicción. (Estaríamos hablando de mucho dinero y un gran trauma emocional.)

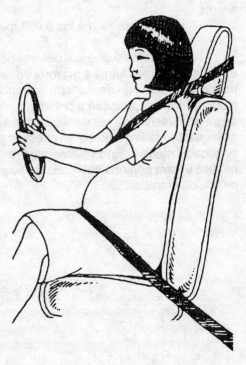

Las mujeres embarazadas pueden ser propensas a tener coágulos de sangre en las piernas a causa de largos períodos de inactividad. Si viajas en auto, planea parar cada hora para estirarte y dar una vuelta caminando para mantener tu circulación en marcha. Si el asiento trasero está vacío, toma una almohada y recuéstate sobre un lado por 20 minutos periódicamente durante viajes largos, para ayudar a evitar la hinchazón de tus pies y tobillos.

Siempre que viajes en auto, usa tu cinturón de seguridad de tres puntos de sujeción. Asegura el cinturón del regazo, abajo, sobre tus muslos. La mitad de los daños automovilísticos a mujeres embarazadas pueden ser evitados con el uso de un cinturón de seguridad.

Las restricciones de viajes aéreos para mujeres embarazadas han cambiado. (Algún crédito va para todas aquellas asistentes de vuelo embarazadas que lucharon para permanecer en el trabajo.) Hipotéticos daños para el feto incluían:

- Ruido y vibraciones.
- Deshidratación por la baja humedad.
- Falta de oxígeno por los cambios de presión en grandes alturas.
- Radiación cósmica a los 9.000 metros de altura.

Ninguno de los supuestos peligros ha sido comprobado. Volar no es riesgoso para el feto. La mayoría de las principales compañías de transporte aéreo han descartado las reglas que prohibían volar a las mujeres embarazadas cerca de término. Volar sobre el océano es algo diferente. Si tienes planes de abordar un avión hacia lugares exóticos, averigua con la línea aérea en cuestión para ver si requieren algún certificado médico. En tu último mes, es posible que exijan que tu médico u "otra persona calificada" te acompañe en tu vuelo a través de "cielos propicios".

7

Drogas en el embarazo

Cada cosa en su lugar

Tenemos drogas por prescripción, drogas sin receta y las siempre populares drogas sociales/recreativas. El embarazo proporciona la oportunidad para que muchas mujeres examinen su particular patrón de uso de drogas.

Todos quieren un bebé sano con todas las partes correspondientes en los lugares apropiados. Las mujeres embarazadas se preocupan por defectos de nacimiento y tratan de hacer todo lo posible para evitar sustancias dañinas que podrían perjudicar a su bebé en desarrollo. Hay mucha confusión y ansiedad en relación con lo que causa defectos en el nacimiento y el rol que juegan las drogas. Cuando un aborto o una anormalidad en el bebé ocurren, la reacción normal es buscar el lugar donde depositar la culpa. Pero no es tan simple la mayoría de las veces.

El embarazo normalmente conlleva de un 2% a un 4% de riesgo de anormalidades, y sólo de un 2% a un 3% tienen una causa conocida. Las drogas están implicadas en aproximadamente un 6% de los defectos de nacimiento.

La placenta porosa

No existe una barrera placentaria, como se creía anteriormente.   69

La placenta funciona más bien como un filtro. Figúrate el colador que usas para sacar el agua de los *spaghetti* y tendrás la idea: sólo las partículas más grandes no pueden filtrarse a través de la membrana porosa.

Si una droga afecta a un feto en desarrollo,depende de la droga, el período particular del embarazo, cuánto se toma, cuán a menudo, etcétera. Algunas drogas pueden ser peligrosas en cualquier momento durante el embarazo y no solamente durante las primeras 12 semanas. La susceptibilidad genética del bebé también puede jugar una parte. Por falta de una mejor explicación, el destino parece ser la única explicación de por qué algunos bebés tienen problemas mientras que la mayoría no. Al menos en este momento no tenemos todas las respuestas. Evitar todo tipo de drogas durante el embarazo es ideal pero no siempre práctico. Las siguientes son pautas de sentido común para el uso de drogas durante el embarazo.

Drogas prescriptas

La mayoría de la gente cree en la magia de la medicina. No podemos acelerar curas y confiar en píldoras, pociones y polvos para curar lo que nos enferma. Para cada síntoma debe existir una píldora que alivie el padecimiento. Sufrir no es nuestro lado fuerte.

La mitad de las mujeres embarazadas usan al menos una droga prescripta durante el embarazo. Los antibióticos son frecuentemente prescriptos durante el embarazo porque las infecciones tienen un potencial mayor de causar daño que un antibiótico. La ampicilina y la penicilina, entre otras, son inofensivas.

Hay que evitar dos antibióticos durante el embarazo. La tetraciclina detendrá el desarrollo de los dientes del bebé. Los medicamentos sulfa consumidos cerca del momento del parto pueden hacer que la piel del bebé se vuelva amarillenta (ictericia) en los primeros días de vida. Tu médico tiene que medir los beneficios y riesgos de prescribirte medicamentos. Por ejemplo, el riesgo de parto prematuro por una infección en el conducto urinario es más alto que por tomar la medicación. Si padeces de una fiebre o un resfrío, no necesitas medicación; puedes quedarte en cama y esperar que pase.

Drogas no recetadas

Las drogas no recetadas son aquellas que te prescribes a ti misma. El 65% de las mujeres embarazadas se automedican por varias dolencias. Una regla prudente para seguir es evitar todos los medicamentos para el alivio de dolores y molestias menores en el primer trimestre. *Toma sólo medicamentos indicados por tu médico y sigue las instrucciones al pie de la letra.* Aquí, un panorama de algunas drogas no recetadas usadas durante el embarazo.

Aspirina

La aspirina es la droga que más comúnmente se usa en el embarazo. Es una gran droga pero no la mejor para la mujer embarazada. En dosis excesivamente altas, puede causar defectos congénitos. La aspirina también altera el mecanismo de coagulación del cuerpo en la mamá y el bebé, por lo cual no es recomendable durante el embarazo, particularmente en el último trimestre.

Acetaminofeno

Acetaminofeno es el nombre genérico para productos como el paracetamol, que tiene un récord imbatible en el embarazo. Tiene la misma capacidad que la aspirina para aquellos dolores y molestias y para bajar temperaturas. En pequeñas dosis, puede ser usado sin peligro durante el embarazo.

Vitaminas

Todo el mundo está de acuerdo en que la mujer embarazada necesita hierro extra, ¿pero qué sucede con las vitaminas? Los médicos casi rutinariamente prescriben vitaminas durante el embarazo. Los expertos en este terreno dicen que las vitaminas suplementarias no son necesarias; los beneficios no están comprobados. Pero pregúntales a los expertos si prescriben vitaminas en la práctica: lo hacen.

Las vitaminas no son un sustituto aceptable de una dieta balanceada. Si tomas un suplemento vitamínico, procura que sea simple.

71

No necesitas gastar una fortuna en suplementos prenatales. Una vitamina múltiple por día será suficiente. La terapia megavitamínica durante el embarazo es muy riesgosa. Las vitaminas que disuelven grasas como A, D, E y K pueden acumularse en el cuerpo y producir efectos tóxicos. Los defectos de nacimiento y otros problemas han sido relacionados con un excesivo consumo de vitaminas. Por ejemplo, la vitamina C en altas dosis tomada regularmente durante el embarazo puede producir escorbuto en el bebé recién nacido. El bebé está acostumbrado a niveles altos de vitamina C, y cuando el suministro disminuye después del nacimiento, se enferma de escorbuto. En el embarazo, cuando de vitaminas se trata: "lo bueno, si breve, dos veces bueno".

Diuréticos

Los tobillos y pies hinchados pueden resultar incómodos, pero los diuréticos no son el remedio. La hinchazón de pies y tobillos es un signo de embarazo sano. El volumen de tu sangre aumenta para nutrir al bebé. A medida que tu útero crece y se agranda, comprime los vasos principales y aprisiona el líquido en tus extremidades inferiores. No es líquido extra sino simplemente líquido desplazado. Si te recuestas sobre un costado para aliviar la presión, el líquido vuelve a donde pertenece. Los diuréticos pueden provocar un serio desequilibrio químico en tu cuerpo de modo que no son recomendables para la hinchazón.

Laxantes

Hay más de 700 productos laxantes sin receta... no los necesitas. Muchos laxantes tienden a ser irritantes y forman hábito si se usan regularmente. Tu intestino no funcionará a menos que lo manejes diariamente. Remítete a la sección "Constipación" en el Capítulo 5, "Afecciones comunes en el embarazo". Tu colon necesita estímulo, no dinamita.

Remedios para el resfrío

Se gastan millones de dólares por año en remedios para la tos y para los resfríos. Muchos de ellos ni dañan ni hacen bien; los beneficios van directamente a los fabricantes, que hacen todo el dinero. Muchos de los preparados son combinaciones de varias drogas tales como aspirina, cafeína, antihistamínicos y potasio iodado, que interfieren en la actividad de la tiroides.

Si tienes la nariz tapada, toma una ducha con vapor. Los rociadores nasales proporcionan un alivio a muy corto plazo, y terminas con la nariz tapada otra vez, lo que es peor. Como un doctor les dice a sus pacientes: "Si no tomas nada para el resfrío, estarás mejor en una semana. Si tomas algo, te sentirás mejor en 7 días". En otras palabras, tu resfrío mejorará solo.

Remedios para la tos

No hay evidencia firme de que los remedios para la tos funcionen, al contrario de lo que claman en las publicidades de alto poder. El contenido en alcohol de varios jarabes para la tos es del 5 al 20%; no es el mejor remedio para una mujer embarazada. Si tienes una típica tos de resfrío, inhala vapor caliente o frío. No agregues una preparación del tipo Vick a tu vaporizador porque no ayudará. Pero chupar un caramelo duro sí puede ser útil, y es más barato que las gotas para la tos. Tomar algo caliente también puede ayudar; miel y jugo de limón mezclados en agua caliente es algo muy efectivo para tu garganta. Si la tos no mejora en una semana, llama a tu médico.

Antiácidos

La acidez puede ser un problema durante el embarazo. Evita drogas con alto contenido en sodio como son las sales efervescentes. Algunos de esos productos también contienen aspirina y cafeína. El bicarbonato de sodio tampoco es una buena idea porque significa más sal en tu organismo. Existen remedios efectivos contra la acidez, que tu médico podrá indicarte. Usa esas drogas moderadamente, ya que su contenido en calcio puede provocarte constipación. Una palabra de advertencia: los antiácidos pueden ser como los rociadores nasales. Cuando dejan de usarse, la acidez puede ser peor que antes. Evita todos los demás antiácidos que hay en el mercado mientras estés embarazada.

73

Rayos riesgosos

Los rayos X no son drogas, pero muchas mujeres embarazadas están expuestas a ellos durante el embarazo, a menudo inadvertidamente cuando los rayos X se toman antes de que la futura mamá siquiera sepa que está embarazada. La opinión médica actual considera que los riesgos de anormalidades no se ven incrementados en esos casos. Estudios de diagnóstico con rayos X (series intestinales superior e inferior, estudios de riñón) generalmente deberían ser evitados durante el embarazo, pero si han sido realizados, no existe una razón de peso para preocuparse de que el bebé sea anormal.

Drogas sociales

El ron demoníaco

El alcohol no discrimina entre madre y bebé. Es una droga que no hace diferencias y fácilmente atraviesa la placenta hacia el bebé. Si te pones achispada, tu bebé no pasará el test de sobriedad. Ni soñarías en darle a tu recién nacido un Martini, de modo que tampoco se lo des a tu bebé nonato.

Los efectos perjudiciales del alcohol sobre el feto en desarrollo son bien conocidos desde hace siglos. Cartago y Esparta establecieron leyes para impedir a los recién casados que bebieran de modo de no producir chicos defectuosos. Así, no es una novedad que el alcohol puede causar problemas a los bebés.

La cantidad exacta de alcohol que lleva a provocar efectos adversos sobre los bebés es desconocida, pero consumir 85 gramos o más por día coloca a tu bebé en la categoría de alto riesgo del Síndrome Fetal de Alcohol (SFA) y Retraso en el Crecimiento Intrauterino (RCIU). El bajo peso en el nacimiento y las muertes fetales aumentan cuando las mujeres embarazadas consumen más de 45 g de alcohol puro por día. El riesgo más alto de problemas está asociado con cerveza más que con vino o licor, a pesar del bajo contenido de alcohol puro de la cerveza. La razón es desconocida. Los riesgos son más bajos, pero no cero, si consumes 30 g o menos de alcohol por día, lo cual equivale a 680 gramos de cerveza, 225 g de vino de mesa, o dos tragos mezclados. No han sido establecidos niveles inofensivos de consumo de alcohol para el embarazo. Es un poco como jugar a la ruleta rusa —no tienes forma de saber que estás en problemas hasta que es demasiado tarde—. *El único método seguro es abstenerse durante el embarazo.*

No a la nicotina

Los peligros de fumar son bien conocidos. Ya que del 20 al 30% de las mujeres en edad de procrear fuman, concentrémonos en los efectos del cigarrillo sobre tu bebé. Fumar hace que tus vasos sanguíneos se contraigan, disminuyendo el torrente sanguíneo que lleva nutrientes y oxígeno al bebé, quien no recibirá las raciones completas durante el embarazo. Fumar inhibe tu capacidad de metabolizar ciertas importantes vitaminas y minerales. Si tú no absorbes esos nutrientes, tampoco lo hará el bebé.

He aquí un hecho que puede tocar tu vanidad femenina. La vitamina C reconstruye y mantiene vitales tejidos y células. Fumar impide la absorción apropiada para ti y para tu bebé. El resultado para ti es... ¡*arrugas*! La falta de vitamina C le quita elasticidad a la piel. Muéstrame una mujer que parezca más joven de la edad que tiene, y será una no fumadora.

El calcio es un importante requisito en el embarazo. El bebé necesita cantidades de calcio, y tú también. Fumar impide la absorción de calcio. El calcio es filtrado de tus huesos para nutrir al bebé, dejándote una posibilidad de ablandamiento de los huesos —osteoporosis en tu vida futura—. No es una coincidencia que las mujeres menores de 65 que desarrollan osteoporosis sean fumadoras empedernidas.

Volvamos al bebé. Las madres fumadoras producen una incidencia más alta en nacimientos prematuros, abortos, muertes fetales, defectos congénitos y bebés nacidos con bajo peso. Fumar contribuye entre un 20 y un 40% al nacimiento de chicos con bajo peso. Si fumas 20 cigarrillos o más por día, tu bebé pesará aproximadamente 250 gramos menos. Del 15 al 45% de resultados desfavorables en embarazos son atribuidos al cigarrillo. Y los defectos no terminan en el nacimiento: los chicos de padres fumadores continúan mostrando un debilitamiento en su función pulmonar a medida que crecen.

Como con cualquier otra droga, los efectos se relacionan con las dosis: cuanto más fumas, más problemas hay. ¡Dale un respiro al chico! Si puedes al menos interrumpir durante el último trimestre, tu bebé será más sano. Puede ganar más peso, y todas aquellas células cerebrales en crecimiento que necesitará para convertirse en el próximo Einstein demandarán algo de nutrición extra. Deberías decidir dejar; la forma más efectiva es cortar por lo sano. Simplemente para. Tu cuerpo tiene adicción a la nicotina, y tratar de ir dejando sólo prolonga la agonía de la separación. Hay numerosos grupos de autoayuda en la comunidad dedicados a ayudarte a abandonar; prueba con alguno.

La popular yerba

La marihuana tuvo su origen en Asia central alrededor de 5.000 años atrás. Los chinos la usaban como un remedio para varias enfermedades, pero nunca vinculada a las fiestas multitudinarias. En Inglaterra, durante el siglo XIX, la marihuana era considerada una droga maravillosa que curaba todo. Los musulmanes la usaban para la intoxicación y para curar cualquier cosa, desde el asma hasta la caspa y las hemorroides. George Washington plantaba yerba en su granja... pero no busques una revelación en el *National Enquirer*. George no era un *playboy* de salón. No fumaba el producto; redactaba reglas con respecto a él.

Existe la posibilidad de volverse complaciente acerca de la marihuana a partir de que la cocaína parece mucho más peligrosa. La yerba continúa siendo una droga "recreativa" muy popular; algunos dicen que su uso es epidémico. Los efectos de la marihuana sobre el embarazo todavía no son claros. Algunos estudios han asociado la marihuana con bebés más pequeños y un quíntuple aumento de la posibilidad de parir un bebé con características del síndrome fetal de alcohol. Estudios en animales muestran una incidencia más grande en abortos, disminución de peso en recién nacidos, muerte fetal y neonatal y retraso en el crecimiento intrauterino. Se necesita más información en humanos. Mientras tanto, es más efectivo practicar más meditación o ejercicios, especialmente cuando estás embarazada.

La catástrofe de la coca

El uso materno de cocaína durante el embarazo aumenta en una proporción alarmante. Las consecuencias son serias para la madre y el bebé. La abrupción placentaria (la separación prematura de la placenta de la pared uterina) puede ocurrir por la dramática constricción de vasos sanguíneos con el uso de cocaína. La madre puede tener hemorragias, peligrando su vida y la de su bebé nonato. La cocaína aumenta el riesgo de parto prematuro y parto de un bebé pequeño en edad de gestación. Hay también una creciente preocupación por problemas neurológicos que resultan de la exposición intrauterina a la cocaína que pueden tener implicancias a lo largo de la vida. Estos bebés tienen discapacidades emocionales y físicas que es posible que nunca puedan superar. Si eso no fuera suficiente, los bebés nacidos de madres que usan cocaína sufrirán una dolorosa separación de la droga en los primeros días de vida, lo cual no es exactamente una calurosa bienvenida al mundo.

Si usas cocaína, necesitas ayuda. Contáctate con alguna de las diversas organizaciones que trabajan ayudando en problemas de drogadicción y toma los beneficios de su servicio. Hazlo antes de quedar embarazada. Hazlo por ti y por tu bebé.

Estimulantes (café, té, colas)

La cafeína, el "elevador" socialmente aceptable para la mayoría de nosotros, estimula el sistema nervioso central. Mucha gente necesita una taza de café por la mañana para hacer que su corazón arranque, y una para levantarse.

Tomar cafeína durante el embarazo es generalmente inofensivo, pero tomar más de cinco o seis tazas de café por día (600 miligramos de cafeína) se asocia con bebés nacidos con bajo peso y muerte fetal. La cafeína puede encontrarse en una variedad de medicamentos así como en el té y las bebidas cola. El siguiente cuadro muestra la cantidad de cafeína en alimentos y drogas seleccionadas.

Bebidas	Medida de la porción	Cafeína (mg)
Café de filtro	140 g	110-150
Café mejorado	140 g	60-125
Café instantáneo	140 g	40-105
Café descafeinado	140 g	2-5
Té, 5 min. de infusión	140 g	40-100
Té, 3 min. de infusión	140 g	20-50
Cacao caliente	140 g	2-10
Coca Cola	340 g	45

Alimentos	Medida de la porción	Cafeína (mg)
Chocolate con leche	28 g	1-15
Chocolate semiamargo	28 g	5-35
Torta de chocolate	1 tajada	20-30

Drogas sin receta	Dosis	Cafeína (mg)
Aspirina	2	80

Limita tu consumo de cafeína a menos de 400 miligramos por día. La cafeína es eliminada menos eficientemente durante el embarazo, y puede provocar insomnio incluso en pequeñas cantidades. Si tienes problemas para dormir, elimina la cafeína y fíjate si ayuda.

Una última palabra

En realidad, no hay suficiente información válida sobre las drogas y sus efectos precisos en el embarazo... hay mucho desconocimiento sobre el tema. No dediques mucho tiempo a preocuparte por lo que tomaste durante el primer trimestre cuando no sabías que estabas embarazada. Si tomaste una aspirina o un vaso de vino, no pases el resto de tu embarazo caminando sobre cáscaras de huevo y preocupándote porque podrías volverte loca pensando en todas las posibilidades. El hecho es que la vasta mayoría de los bebés es sana.

8

Para pensar: pecho o mamadera

Una de las tantas decisiones que enfrentan los padres que esperan un hijo es si darle como alimento al bebé el pecho o la mamadera. La opinión médica y pública favorece el amamantamiento, alegando beneficios emocionales, psicológicos y fisiológicos. Nadie discute los beneficios en relación con la salud, pero las ventajas acerca de los beneficios emocionales provocan más que unas pocas reacciones en aquellas que eligen la mamadera, y con toda razón. Seamos realistas. El acto de amamantar no te convierte automáticamente en una buena madre. Hacerte la mártir y hacerlo de mala gana o sentirte culpable porque no lo haces es contraproducente. De modo que relájate. "No sólo de pan vive el hombre", y tampoco los bebés lo hacen de la leche. Los beneficios emocionales del amamantamiento vienen de alzarlos y acunarlos, algo que mamá y papá también pueden ofrecerle al bebé alimentado con mamadera.

Alimentación artificial

Los bebés menores de un año necesitan una fórmula y no leche de vaca, que también tiene mucho de lo que un bebé no necesita: proteína y sodio. El exceso de proteínas puede alterar la química del cuerpo del bebé y causar apatía. Demasiado sodio puede hacer que los riñones del bebé trabajen horas extras, acrecentando la pérdida de agua y haciendo que el bebé tenga sed.

La fórmula tiene una composición similar a la leche humana; tiene apenas más proteína, calcio y lactosa, pero menos grasa. La proteína en la fórmula es menos digerible que en la leche humana, el contenido de sodio difiere, y está nutritivamente balanceada.

El excremento del bebé alimentado con mamadera está más formado que el del bebé amamantado con leche materna. Los bebés alimentados con mamadera son más propensos a la constipación y a los malestares gastrointestinales (cólicos) que los bebés de pecho.

La principal desventaja de la lactancia artificial es la sobrealimentación. Las fórmulas para bebés duplican su peso al nacer entre 14 y 16 semanas. Si tu bebé no termina la mamadera, no fuerces la situación. Un bebé que llora una hora o más después de comer puede estar simplemente sediento o cansado. Ofrécele agua en vez de otra mamadera. Como con el bebé de pecho, de 6 a 8 pañales por día indican alimento suficiente. Una gran ventaja de la mamadera es que papá puede ayudar, lo cual lo resguarda de sentirse afuera y te brinda cierta ayuda con aquellos horarios de alimentación del chiquitín que pueden dejarte exhausta.

Amamantamiento

La leche materna tiene ventajas nutritivas: es fácilmente digerida y contiene todas las vitaminas y minerales que tu bebé necesita. La leche materna promueve el crecimiento de la bacteria protectora lactobacilo en el conducto gastrointestinal de tu bebé. Como consecuencia, los bebés alimentados con leche materna tienen menos problemas de diarrea e infecciones intestinales. La primera leche (calostro) es rica en factores de inmunidad, los que pasan a tu bebé mientras lo amamantas. Los bebés alimentados con leche materna tienen menos alergias, cólicos, constipación y problemas respiratorios. La leche materna ofrece también una ventaja en la batalla "en forma o gordo" porque los bebés de pecho tienden a ser más delgados y no duplican su peso al nacer hasta que tienen 5 meses, en contraste con los bebés que toman mamadera, que doblan su peso entre las 12 y 14 semanas de vida. La conveniencia es un factor ya que no tienes que andar por ahí a los tumbos entibiando mamaderas o preparando la fórmula. La economía del amamantamiento no tiene rival —es una de las pocas cosas gratis en la vida.

Las desventajas son que tú eres la única que puede alimentar al bebé a menos que ordeñes tus mamas y salves la leche, y no puedes escaparte demasiado tiempo de tu bebé porque tus pechos se llenan y eso es muy incómodo. Para ayudarte a decidir acerca del amamantamiento, lee el Capítulo 18, "Amamantamiento", y mira el cuadro "Una ojeada a los métodos alimentarios" al final del capítulo para tener un resumen de las ventajas y desventajas.

Eligiendo un pediatra

Pasado el séptimo mes de embarazo es un buen momento de empezar a pensar en quién será el médico de tu bebé. El mismo criterio que usaste para elegir a tu médico se aplica aquí.

Deja que tus dedos hablen

Moderniza el proceso de la entrevista llamando y haciendo a alguien del equipo del servicio las siguientes preguntas:

- ¿Cuál es el procedimiento para la cobertura después de hora? ¿Hay un grupo de llamadas? ¿Debes dirigirte al pabellón de emergencias?
- ¿Con qué criterio está dividido el horario del médico entre enfermedad y salud? ¿Hay horas separadas para chequeos de rutina de modo que tu bebé no esté expuesto a la enfermedad?
- ¿Se proveen materiales experimentales, de seguridad, nutritivos y educativos? ¿Las personas del equipo están habilitadas para proporcionar consejo por teléfono?

Considera cuán accesible y gentil es la persona con la que estás hablando. Si tus preguntas son respondidas pacientemente y te gusta lo que oyes, fija una cita para ver al médico; no debería llevarte más de 5 o 10 minutos decidir si las personalidades y filosofías de ambos combinan. Habla con la enfermera o la asistente del médico que trabaja con ella; ella y el *staff* ejecutivo habitualmente serán tus contactos iniciales cuando estés tratando de llegar al médico. Necesitas decidir si serán una ayuda o un obstáculo para brindarte la información 81 y el servicio que necesitas. Sé considerada: éste no es el momento de discutir el uso de la pelela y a qué colegio debería ir tu hijo.

Idealmente, la práctica del médico debería brindar cuidado para la enfermedad y la salud, y proporcionar una cobertura las 24 horas. El material educativo debería ser accesible; el personal del servicio, amigable y sustentador. Vas a pasar muchos años dependiendo del pediatra y del staff, de modo que es importante que se gusten y tengan confianza mutua.

UNA OJEADA A LOS MÉTODOS ALIMENTARIOS		
Método	**Ventajas**	**Desventajas**
Amamanta-miento	*Costo:* es gratis. *Conveniencia:* la leche viene lista para usar atractivamente envuelta. El amamantamiento ayuda en la pérdida de peso materno. *Salud infantil:* El amamantamiento produce generalmente bebés sanos. El calostro (primera leche) es especialmente rico en factores de inmunidad. En los bebés, disminuye la incidencia de alergias, dolencias gastrointestinales (gases, cólicos), constipación y diarrea, problemas respiratorios, asma, bronquitis y escorbuto, resfríos y otras enfermedades contagiosas.	*Inconvenientes:* la madre tiene un poco menos de movilidad. Tendrá que vaciar sus mamas cuando esté lejos del bebé. La alternativa es alquilar un vaciador de mamas, muy práctico si tiene que trabajar. Sus pechos chorrearán leche. La disminución de secreciones vaginales puede hacer que el coito sea doloroso, aunque los lubricantes

Método	Ventajas	Desventajas
		alivian la sequedad.
	Nutrición infantil: los bebés digieren la leche materna fácilmente y utilizan todos sus componentes. La leche contiene todas las vitaminas y minerales necesarios. Los bebés duplicarán su peso de nacimiento en 5 meses y son menos propensos a la obesidad. No se requiere ningún otro alimento hasta los 6 meses.	*Fatiga:* las madres que amamantan en respuesta a todas las demandas de su bebé pueden estar cansadas debido a las mamadas más frecuentes.
		Infecciones en mamas (mastitis): la infección es incómoda e inconveniente pero puede tratarse con un antibiótico.
Alimentación por fórmula con mamadera	*Conveniencia:* la madre tiene más movilidad. Papá u otros pueden ayudar a alimentar con mamadera al bebé.	*Costo:* la fórmula es cara.
		Inconvenientes: la fórmula requiere preparación.
	Nutrición infantil: La fórmula contiene casi todos los nutrientes esenciales.	*Salud infantil:* la fórmula no contiene factores inmunológicos. Los bebés

Método	Ventajas	Desventajas
		padecen más alergias, cólicos, constipación y diarrea, resfríos y enfermedades contagiosas.
		Nutrición infantil: el peso de nacimiento se duplica en 14-16 semanas. La sobrealimentación es un problema importante.

Segunda parte

El proceso y las precauciones

9

Preparación del parto

Evolución

A lo largo de la historia, los hombres han tenido campos de batalla en los cuales han probado su coraje. Tradicionalmente, las mujeres han considerado la cama de trabajo de parto como su campo de combate, donde se pusieron a prueba su fuerza, su persistencia y su coraje. Las mujeres todavía adoran contar historias "de guerra" acerca del trabajo de parto. Las "guerreras" se entrelazan en una competencia feroz cuando comparan historias acerca de quién ha tenido el parto más largo, la mayor cantidad de contracciones y el bebé más grande. Éste es "el macho" femenino en su peor aspecto. La narración de historias no cambia, pero el campo de batalla es redecorado aproximadamente cada década.

El dar a luz ha recorrido un largo camino desde las décadas de 1950 y 1960, cuando tener bebés era un asunto muy serio. Los médicos consideraban el proceso demasiado complicado como para que las mujeres se preocuparan por él y demasiado horroroso como para que los hombres participaran en él. El lugar del futuro padre era la sala de espera mientras que la madre de su hijo paría mediante inducción con drogas sola y dopada, en una zona oscura.

Durante la década del 70, el parto "natural" estaba en boga. El alumbramiento sin medicación era un rito de iniciación, una manera de que las mujeres obtuvieran un *status* de "superguerrera" entre sus pares. Cualquier otro método que no fuera "sin anestesia" era considerado un fracaso por aquellos que estaban en el tema. Sí, si uno les pedía a 10 personas que definieran el parto natural, tenía 10 respuestas diferentes. Para algunos significaba un nacimiento en casa y sin medicación; para otros significaba medicación pero un alumbramiento en el hospital estilo doméstico. Las combinaciones eran infinitas.

Hacia los 80, la "preparación del parto" reemplazó al parto natural como la palabra cuchicheada en obstetricia. Los clientes querían un acercamiento más individual al trabajo de parto que les permitiera la opción de hacer lo que fuera mejor, adaptado a sus necesidades. Ésta fue una aproximación más sana que la mentalidad restringida, arbitraria, reprobadora, determinante que rodeaba al parto natural. Con el resurgimiento de la anestesia peridural en los 90, la expresión "Despierta, alerta y no duele" está reemplazando el viejo mantra de los 80 "sin dolor no hay ganancia".

Teoría

La teoría fundamental detrás del parto preparado, ya sea Lamaze, Bradley, Fitzhugh o Dick-Read, es la misma:

- Autoconocimiento.
- Autocontrol a través de ejercicios programados.
- Reducción de dolor a través del proceso de educación y conocimiento del trabajo de parto.

Recuerda la palabra "reducción". Algunas mujeres y sus maridos tienen falsas expectativas de que los ejercicios de parto eliminan completamente el dolor. Sólo una peridural completamente efectiva, que te adormece de la cintura para abajo, producirá esa clase de alivio del dolor. Los ejercicios que aprendes en clase y practicas durante tu embarazo te ayudan a desarrollar tus poderes de concentración, lo cual aumenta tu capacidad de alterar tu percepción del dolor y mantener tu autocontrol durante el trabajo de parto. Los ejercicios son útiles pero no una panacea.

Clases de parto

En tiempos antiguos, la mayoría de los educadores de parto adherían a la línea forjada por Lamaze o Bradley, se establecían reglas estrictas. En estos tiempos más modernos, muchos educadores de parto mezclan y comparten filosofías, ejercicios y actitudes. Recuerda, no hay un método correcto o incorrecto. Es simplemente una cuestión de elección personal y qué es lo que mejor se adapta a tus necesidades. Busca a un maestro que cuadre con tu estilo. No puedes equivocarte con alguien que es flexible, práctico y tiene sentido del humor.

Cuídate de alguien que predica un parto totalmente indoloro mediante el ejercicio e insiste fanáticamente en que rehúses todo tipo de medicación durante el parto. En general, cuídate de cualquiera que tenga una aproximación tan inflexible a tu experiencia de parto. No tomes una actitud culposa si eres incapaz de seguir las rígidas pautas establecidas. Usa los ejercicios para descubrir *tus* necesidades. Conserva apertura en relación con tus opciones y recuerda que los conceptos más importantes de un parto preparado son mantener tu autocontrol y compartir tu ardua pero feliz experiencia con tu marido. La unión y un resultado feliz son lo que realmente cuenta.

Hay una cantidad de buenas razones para tomar clases de preparación de parto. Necesitas aprender los procesos físicos del embarazo y del parto y los tipos de opciones de alumbramientos que te ofrece tu comunidad. Sin este conocimiento, es difícil preparar un plan realista de nacimiento, y restringirás drásticamente tu rol en el proceso de tomar decisiones.

Las clases son accesibles a través de programas comunitarios, consultorios médicos, instructores privados y distritos escolares. Los honorarios de las clases varían, de modo que pregunta. Grupos de 5 a 7 parejas son considerados el número ideal porque el instructor puede brindar una atención más individualizada, y los grupos más pequeños son menos intimidantes y más amenos para aprender y socializar. Las clases proporcionan un grupo de soporte hecho *ad hoc* y la oportunidad de conocer a otras parejas que esperan bebés. Toma ventaja de la posibilidad de enriquecer tu experiencia de embarazo compartiéndola. Muchas amistades para toda la vida se han formado en clases de preparación de parto.

10

Opciones de parto

En los 50 y los 60, el escenario de parto era un terreno polvoriento —desierto, frío y estéril—. Las rígidas reglas hospitalarias impedían todo cambio. El parto era simplemente otro evento estéril y quirúrgico; los clientes no tenían alternativas ni opciones. El nacimiento de bebés era un asunto serio.

Invierno de descontento

Hacia las décadas de 1970 y 1980 creció el descontento entre los clientes con respecto al *statu quo* en obstetricia. La filosofía de Ferdinand Lamaze del parto "natural" sentó las bases de un cambio en una suave brisa de nueva conciencia que pronto se convirtió en un furioso huracán de controversias. Estimulantes alternativas germinaron en el renovado campo fértil de la obstetricia. Las opciones de parto comenzaron a diseminarse por todas partes, junto con una gran preocupación de los profesionales de la salud, que veían los cambios como innecesarios y amenazantes.

El largo invierno para el cliente había terminado. La primavera del parto había "estallado". Los clientes y los profesionales de la salud estaban enfrentados. Los futuros padres querían ver el proceso como natural y normal, y que el evento fuera compartido y celebrado con toda la familia. Aquellos que ayudaban en el parto lo consideraban una

91

intrusión en la confortable y estéril santidad de su dominio. Una histeria aguda emanaba de muchos de los recientemente autodenominados "consejeros de parto", cuyas credenciales y objetividades en muchos casos eran inexistentes. Los médicos estaban desacostumbrados a ser vistos como el enemigo. Eran tiempos duros y la psiquis colectiva de los médicos recibió un golpe.

Pasó gran parte de la década de los 80 para que la histeria desapareciera y ambos lados mirasen más objetivamente el rédito real y llegaran a un acuerdo. Los profesionales de la salud pasaron del antagonismo y la ambivalencia a una aceptación de la mayoría de las demandas de sus pacientes. Los clientes en general decidieron que un rol de adversarios con sus doctores era contraproducente. La inflexibilidad de ambos lados maduró en una relación de mayor aceptación y adaptabilidad. Era un clima más fructífero, dado que la confianza es un componente importante en la relación con aquellos que te cuidan en un momento tan importante de tu vida.

Reglas y regulaciones

Los profesionales de la salud, incluyendo hospitales, son más abiertos ahora en la aceptación de los deseos de sus clientes. Alcanzar tu parto "soñado" es más posible ahora que en el pasado. Las rígidas reglas y rutinas se han suavizado. Por ejemplo, la mayoría de los médicos no insisten rutinariamente en enemas. El monitoreo fetal continuo y la técnica intravenosa se reservan para embarazos complicados. El monitoreo fetal para embarazos de bajo riesgo se limita a una medición durante 20 minutos y que luego puede repetirse solamente 10 minutos por hora aproximadamente. Algunos lugares limitan incluso el número de personas "soporte" presentes durante el parto pero otros hospitales dicen simplemente "Vengan todos". Las parteras merecidamente han ganado privilegios al practicar en hospitales y sanatorios y están adquiriendo un mejor *status* uniéndose a los médicos en su práctica.

Es una buena combinación de personal que beneficia a todos los interesados.

Cuidado centralizado de la familia

Los hospitales* están llevando a cabo batallas de supervivencia en esta era de intensa competencia por el dinero del cliente. Las familias jóvenes y en crecimiento son la principal presa de la mayoría de los hospitales.

La atención de la maternidad es a menudo la puerta de entrada para muchas familias en un servicio de salud específico; tienen a sus bebés allí y luego vuelven por otros motivos de atención. Los hospitales cuidan su negocio.

Una popular estrategia de mercado para hospitales ahora es el Cuidado Centralizado de la Familia (CCF). Desafortunadamente, el término significa diferentes cosas para diferentes hospitales y clientes individuales. CCF es un concepto donde todas las necesidades de la familia son consideradas y consignadas desde el primer encuentro con el hospital hasta el alta. Un importante componente del CCF es el hecho de mantener a la familia unida durante la estadía en el hospital, incluyendo una extensión familiar si se desea. Por ejemplo, si es necesaria una cesárea, el padre y una persona de apoyo podrían estar presentes en el parto. Hay pautas muy liberales en cuanto a las visitas y el número de familiares y la extensión familiar permitida. Los hermanos son bienvenidos. Los recién nacidos pasan tanto tiempo con la familia como ésta desea. Para aquellos que eligen el plan de estadía corta, con el alta dentro de las 24 horas, se ofrece un seguimiento en la atención.

Si el CCF es un ingrediente importante dentro de tu plan de natalidad, averigua en los hospitales de tu localidad con anticipación. Llama y/o haz un recorrido por los hospitales que podrías utilizar. Muchos hospitales proveen folletos ingeniosos con cuadros llamativos de mamá, papá y el bebé, pero si haces preguntas pertinentes acerca de las opciones del régimen de visitas, participación de hermanos, personas de apoyo, anestesia y cesárea, es posible que no te guste lo que oyes. Haz tu tarea.

---

* Respetamos la palabra "hospital" del original si bien en la Argentina es común que los partos se realicen también en clínicas o sanatorios (N. de la T.).

Programas de estadía corta

En 1982, la estadía hospitalaria promedio para una nueva madre era de 3 días, pero ahora la mayoría de las mujeres se van a casa en 24 horas. No hace mucho tiempo, el alta en 24 horas era considerada una estadía corta, pero ahora es la norma. Algunos hospitales ofrecen una estadía corta de 12 horas o menos. Existen las habituales ventajas y desventajas. Las principales ventajas de una estadía corta son salvar el dinero e ir a dormir en tu propia cama. En realidad, dormirás mejor y descansarás más en casa, especialmente si tienes ayuda. Las desventajas son la falta de apoyo educativo y de aprendizaje del equipo de enfermeras. El tiempo de aprender acerca del cuidado del bebé y del amamantamiento se abrevia. Si quieres permanecer más de 24 horas, averigua en tu sistema de salud para ver qué permiten. Si tienes que volver a casa dentro de las 24 horas, asegúrate de que tengas alguna ayuda en casa. Averigua a quién puedes recurrir como persona de apoyo en el consultorio de tu médico cuando haces preguntas en aquellas primeras semanas. Cómprate un buen libro de cuidado del bebé para ayudarte a responder cualquier clase de preguntas simples que pudieran surgir. El capítulo de posparto en este libro te dará una guía para las primeras seis semanas.

Del estilo hogareño a la habitación única para atención de la maternidad

El cuarto estilo hogareño de los 70 con el helecho moribundo y la silla mecedora ahora pertenece al pasado. Muchas unidades obstétricas están adoptando el más nuevo y práctico concepto de habitación única para atención de la maternidad. Este concepto es la onda de los 90 en obstetricia en la medida en que más mujeres eligen esta opción. Con habitaciones únicas para maternidad, las mamás permanecen en un cuarto TPRP (trabajo de parto/recuperación/posparto), eliminando la inconveniencia y la incomodidad de moverse de una cama de trabajo de parto a la sala de parto y luego volver a trasladarse al cuarto de recuperación y otra vez al piso de posparto. El diseño ideal habitualmente admite 8 personas. La cama de trabajo de parto se convierte en una cama de parto. El equipo de oxígeno y resucitación es eficiente y convenientemente ubicado detrás de cuadros y en cajones de modo de no desviarse del estilo hogareño de todo el conjunto. Algunos hospitales ofrecen románticas cenas con candelabros para los nuevos padres.

A pesar de que el concepto de cuarto único para maternidad es ideal, muchos hospitales más antiguos son incapaces de brindar este servicio en su forma más pura.

Lo que debes obtener es un arreglo en cuanto a que el cuarto de trabajo de parto y el de parto estén juntos, combinado con que el de recuperación y el de posparto se encuentren en el piso.

Aun así es una gran mejora sobre el método tradicional de un cuarto separado para cada aspecto del proceso de dar a luz. Los días de tener que trasladarte a un apartado cuando estás completamente dilatada y mientras las enfermeras te dicen frenéticamente que no pujes por suerte se han vuelto obsoletos.

Los hospitales son más flexibles al ofrecer la opción de que el bebé y la madre se queden juntos. Mamá puede tener al bebé en su cuarto o mandarlo a la *nursery* si desea algún tiempo sola. En algunos hospitales, una enfermera cuida a la mamá y al bebé hasta el alta, asegurando una continuidad en la atención. Si este concepto te resulta atractivo, llama a los hospitales locales y pregunta si ofrecen esta opción.

Centros de parto independientes (CPI)

Los centros de parto independientes son servicios al margen de un establecimiento hospitalario, conformados por enfermeras parteras matriculadas, con apoyo de obstetras.

- Las parteras manejan el trabajo de parto y lo atienden.
- Estos centros aceptan clientela de bajo riesgo que desea una experiencia de parto menos invasiva.
- La tecnología se lleva a un mínimo, si es que se usa.
- Más bebés son paridos sin episiotomías.
- Las mujeres no son confinadas a una cama y usan una variedad de posiciones para aliviar el dolor de las contracciones.
- Durante el trabajo de parto se usa menos medicación.

95

Aproximadamente el 13% de las mujeres que hacen su trabajo de parto en CPI requieren ser transferidas a un hospital a causa de complicaciones. Los resultados de recién nacidos en un CPI y en un establecimiento hospitalario son los mismos. La opción de dar a luz en un CPI no es excesivamente aconsejable, de modo que tienes que estar alerta.

Parto casero

El parto casero continúa respondiendo a sólo un 1% de la población obstétrica en los Estados Unidos. El número más alto de partos caseros se concentra en la zona más alta de Nueva Inglaterra, Tejas y la costa pacífica. Las parteras tienen licencia en 11 estados para su participación en alumbramientos caseros. La mayoría de los alumbramientos (90%) son carentes de novedad mientras que el 2% envuelve serias e impredecibles amenazas para la madre y el bebé. Proyecciones previas ayudan a identificar algunos pero no todos los problemas anticipadamente. En 1975, el promedio de muerte fetal en California para partos caseros duplicaba el de los partos en hospital. Basándonos en esta información, hay pocas dudas acerca de que los partos en hospital son más seguros. La decisión de un parto hogareño trasciende habitualmente consideraciones económicas y de seguridad. A menudo hay un profundo compromiso emocional con respecto a una experiencia de parto casero, y una experiencia negativa previa en el hospital puede reforzar este compromiso. Si eres una de esas personas que tienen tal clase de compromiso, necesitas planearlo cuidadosamente. Haz que tu seguimiento prenatal sea realizado por un obstetra, y determina si tienes problemas médicos o de salud, si tu pelvis es más que adecuada y si tu circulación de sangre es normal. Una consideración muy importante es el tiempo que llevaría llegar al hospital en caso de emergencia. Pregúntale a tu médico qué se considera un límite de tiempo razonable y si estaría de acuerdo en brindarte apoyo si tienes que ir al hospital por alguna complicación.

Si pasas la primera fase, puedes empezar a buscar un asistente de parto. Si tu localidad permite que enfermeras matriculadas o médicos realicen partos caseros, tienes suerte. Si no, tienes que entrevistar muy cuidadosamente a parteras no profesionales. Algunas parteras no profesionales no tienen experiencia más allá de haber tenido sus propios bebés en casa; han decidido que recibir bebés podría ser un hobby interesante. Ni soñarías en confiar a la vecina de al lado la reparación de tu caro estéreo como un hobby. Tampoco dejes que reciba a tu bebé. Debes ser una paciente informada. Selecciona bien a tu futura asistente de parto. ¿Qué entrenamiento tiene? ¿Cuántos bebés ha hecho nacer? (Cincuenta es un número apropiado.) ¿Ha tenido práctica en resucitación? ¿Existe un plan para complicaciones tales como hemorragias, nacimiento de nalgas o prolapsos de cordón? Asegúrate de que ella tenga un plan bien definido en caso de desastre. Si desea hacerse cargo de ti aun si desarrollas una complicación de alto riesgo como una preeclampsia, busca otra asistente de parto.

Participación de hermanos

La presencia de hermanos en el parto está aumentando lentamente, pero aún no cuenta con una aceptación universal. Los que más se oponen lo ven como un método de control de la población: predicen que los varones crecerán impotentes y las nenas evitarán el embarazo como una plaga. Nadie ha confirmado que esas consecuencias hayan ocurrido. De hecho, algunos padres han informado una maravillosa experiencia y menos rivalidad entre hermanos que atribuyen a su participación de la experiencia de parto. La perspectiva no atrae a todos; tienes que decidir lo que le sirva a tu familia y si los beneficios percibidos superan las ventajas potenciales. Discute las posibilidades con tu marido y tus hijos.

Incorporar a tus hijos a la experiencia de parto requiere sentido común, preparación, flexibilidad y la disposición de verlo como algo natural. Los chicos necesitan algo de preparación: necesitan saber de dónde vienen los bebés, cómo llegan aquí y una introducción a las caras jadeantes y divertidas que harás de modo que no se asusten. Dales un panorama previo del trabajo duro que estarás haciendo, para que la experiencia real no los aterrorice. Lee el excelente libro *Birth Through Children's Eyes* para tener ideas más abarcadoras. Muchos hospitales ofrecen clases de preparación de parto para hermanos —anota a los chicos—. Tus hijos también necesitan una persona de apoyo designada por ellos en caso de que encuentren la experiencia demasiado intensa o aburrida. Dale a cada chico algo para hacer como sacar fotos, traer compresas de hielo o estimular los puntos de acupresión de tus pies para mandarte energía de modo que sientan que se los necesita.

Si descubres que estás pasando más tiempo preocupándote por tus hijos y sus reacciones durante el trabajo de parto, date permiso para alterar tu plan y hacerlos salir por un rato. Algunas mujeres prefieren hacer el trabajo de parto sin chicos y hacerlos venir inmediatamente después de que el bebé nace, por la unión de la familia.

Anestesia peridural: búsquedas indoloras

La tendencia en obstetricia es hacia un parto indoloro. Mientras existen mujeres que aún desean hacer el trabajo de parto sin medicación, muchas están optando por experimentar el menor dolor posible. La anestesia peridural está ganando popularidad después de una década o más del método del parto "a pulmón".

La anestesia peridural, dada durante la fase activa del trabajo de parto, te adormece de la cintura para abajo. Puedes usar tus ejercicios de respiración hasta el momento peridural y luego relajarte hasta que sea tiempo de pujar. (Ver Capítulo 16, "Trabajo de parto", por más detalles). Los hospitales están ofreciendo esta opción de anestesia. Si "sin dolor no hay provecho" no es tu lema, pregúntale a tu médico si esta opción es conveniente para ti.

11

Atención prenatal

Eligiendo a un médico

Buenas vibraciones

Elegir a un doctor o asistente de parto sin una consideración cuidadosa conlleva todas las trampas de un matrimonio arreglado: no sabes a qué te has comprometido hasta que es demasiado tarde. Evita una pérdida de tiempo y un trauma emocional para ti y para el médico haciendo tus deberes ahora.

Piensa qué clases de rasgos de personalidad te hacen sentir más cómoda. Si tu médico es del tipo autoritario y tú quieres participar en el proceso de tomar decisiones, estarán a punto de ahorcarse uno al otro en cualquier momento. Si no te gusta preocuparte por detalles, el tipo de los que se hacen cargo puede ser exactamente tu estilo. Decide cuál es *tu* estilo y busca a alguien que "combine bien". Separarse después de estar varios meses en la relación puede ser inconveniente, si no doloroso, para ambos.

Si tienes un seguro con beneficios de maternidad, tu primer paso es saber exactamente qué cubre y qué no. Es una pérdida de tiempo valioso investigar hospitales y médicos si no aceptan tu sistema de cobertura particular. Muchos planes ahora tienen contratos con ciertos hospitales y médicos que brindan servicios a sus suscriptores. Necesitas saber cuáles limitaciones, si las hay, se aplican. Puede ser que quieras hacerle al representante de tu seguro médico las siguientes preguntas.

Preguntas para el seguro médico

- ¿Qué hospitales en mi área aceptan mi cobertura?
- ¿Tienen una lista de médicos entre los cuales pueda elegir?
- ¿Cuál es el reembolso total que brindan por mi médico?
- ¿Cuál es el reembolso total estipulado para los costos de hospital?
- ¿Cuántos hospitales autorizan un parto vaginal y un parto por cesárea?
- ¿Qué tipo de habitación de hospital brinda mi plan? ¿Privada? ¿Semiprivada o pabellón?
- ¿Cómo se maneja el pago de servicios? ¿Pago directo a mi médico? ¿Reembolso después del parto?
- ¿Qué costos obstétricos cubren? ¿Ecografías? ¿Análisis de sangre? ¿Amniocentesis? ¿Tests de bienestar fetal? ¿Medicamentos?
- ¿Hay cobertura para atención neonatal o pediátrica?
- ¿Qué cobertura existe si ocurren complicaciones?

Antes de zambullirte de cabeza para buscar a tu médico, medita un poco acerca de tus preferencias de parto. Si tienes planes muy específicos, como la peridural o una habitación privada, ten en mente que la mayoría de los médicos limitan su práctica a uno o dos hospitales. Si descubres que el doctor que has elegido no practica en el hospital que ofrece esas opciones, tendrás que decidirte entre tu médico y tus preferencias y lo que tu cobertura autoriza.

Llama a los hospitales en tu área y pide hablar con una enfermera en el departamento de parto. Explica que estás embarazada e interesada en las opciones de parto que el hospital tiene para ofrecer. Aquí, algunas preguntas simples:

Preguntas para el hospital

- ¿Qué tipos de habitaciones ofrecen?
- ¿A quiénes autorizan como personas de apoyo?

- ¿Admiten videocámaras durante el parto?
- Si hay que hacer una cesárea, ¿admiten personas de apoyo en el cuarto de operaciones?
- ¿Ofrecen parto vaginal después de cesárea?
- ¿Qué tipos de anestesia para el parto proveen? ¿La peridural es accesible?
- ¿Tienen cobertura por anestesia las 24 horas o usan personas que trabajan por llamado después de hora?
- Después de dar a luz, ¿cuándo puedo acunar a mi bebé?
- ¿El bebé tiene que quedarse en la *nursery* o tengo acceso ilimitado a él?
- ¿En cuánto tiempo habitualmente dan de alta a los pacientes?

Puedes agregar o suprimir preguntas a la lista de acuerdo con lo que es importante para ti. No les preguntes a las enfermeras acerca de honorarios de hospital; habitualmente no saben esas cosas. Las enfermeras de trabajo de parto son también una gran fuente para relacionarte con un médico acorde con tus preferencias. Dale a la enfermera una explicación de tus prioridades. Por ejemplo, si no quieres una enema o una afeitada perineal y deseas permanecer fuera de la cama el mayor tiempo posible, ¿quién estará de acuerdo con tus deseos? Si quieres alguien que sea flexible o paternal, pide los nombres de médicos que encajen en tu solicitud. Pide a tus amigos y a tu familia algunas recomendaciones. Llama a unos pocos educadores de parto y pídeles su opinión. Muchas fuentes de información salen de allí.

Ahora que has hecho tus averiguaciones y tienes los nombres de varios candidatos médicos, llama a sus consultorios y haz algunas preguntas más. Ten en mente que tu futuro doctor viene con un equipo que es muy similar a una familia extensa; te relacionarás con cada miembro del equipo. Ellos vendrán a saber y a participar de tu embarazo. Considera cuán amigable y provechoso es el trato que recibes cuando recoges tu información. La recepcionista o la enfermera del consultorio puede responderte preguntas preliminares. Aquí hay más ejemplos.

Preguntas para el consultorio médico

- ¿En qué hospital hace su práctica principal el doctor? ¿Tiene   101

privilegios de práctica en otros hospitales? ¿Cuáles?
- ¿El doctor está siempre en contacto con sus propios pacientes? ¿Está en un grupo de llamadas? ¿Qué extensión tiene ese grupo? ¿Cuáles son los nombres de los médicos?
- ¿El doctor brinda atención en caso de complicaciones en el embarazo o las deriva a otra persona?
- Si tienes una cesárea previa, ¿el doctor ofrece parto vaginal después de cesárea?
- ¿El doctor realiza ecografías, amniocentesis y exámenes de rutina en el consultorio?
- ¿El consultorio brinda preparación para el parto u otras clases educativas? ¿De qué tipo?

Ahora pide hablar con el director del consultorio o la persona encargada de la administración para hacerle más preguntas.

- ¿Cuál es el costo de un parto vaginal? ¿Y de una cesárea?
- ¿Cuál es el método preferido de pago (el total por adelantado, pago después del parto, etcétera)?
- ¿Qué obras sociales o seguros médicos aceptan?

A esta altura deberías ser capaz de ajustar tus preferencias de acuerdo con los hospitales y médicos que pueden brindártelas. Estás lista para hacer una cita y hablar con el doctor. Si aún no has tomado una decisión y simplemente quieres entrevistarte con el médico, acláraselo a la secretaria. El doctor puede o no dar entrevistas. Puede concederlas pero cobrando algo. Averígualo.

Cuando te sientes frente a tu futuro médico, haz preguntas diplomáticas; a nadie le gusta que lo interroguen. Es contraproducente y habitualmente fútil hacer preguntas tales como el promedio de partos por cesárea del médico porque la mayoría de los médicos no se acuerdan. Los hospitales tienen esa información pero son reacios a compartirla contigo. En realidad, las estadísticas de nacimientos por cesárea no siempre permiten una consideración válida acerca de la práctica de los obstetras porque demasiadas variables entran en la decisión de realizar una cesárea. Lee la sección "Parto por cesárea" en el Capítulo 15 para una mayor claridad.

Sé amigable y relájate. No estás negociando una crisis en el

Medio Oriente, sólo estás buscando un médico. Si haces preguntas abiertas es más probable que obtengas las respuestas francas que necesitas para tomar tu decisión. Ten en cuenta que tu misión no es juzgar, simplemente quieres encontrar un médico cuya filosofía y personalidad sean compatibles con las tuyas. Aquí hay algunas preguntas ilustrativas.

Preguntas para el médico

- ¿Qué es lo que más le gusta del hospital donde ejerce principalmente?
- ¿Los médicos en su grupo de llamadas comparten su filosofía de parto? ¿En qué difieren?
- ¿Cuál es su política en relación con las ecografías durante el embarazo? ¿Cuántas hace rutinariamente? Si practica una ecografía, ¿mi marido y mis hijos pueden presenciarlo?
- Si se produce una complicación, ¿seguirá atendiéndome o derivará mi atención a otra persona? Si me derivara, ¿dónde debería ir?
- ¿Qué opciones de parto le resulta cómodo brindar?
- ¿Qué procedimientos rutinarios requiere durante el trabajo de parto?
- ¿Cuál es su política en relación con cursos preparatorios, enemas, monitoreo fetal y suero?
- ¿Qué piensa con respecto a personas de apoyo? ¿Limita el número de gente?
- ¿Cuál es su concepción acerca de episiotomías y posiciones durante el parto?
- ¿Cuáles son sus preferencias en cuanto a medicamentos y anestesia para el trabajo de parto?
- ¿Qué piensa respecto del parto vaginal después de haber tenido una cesárea? ¿Ofrece esa opción?

Una vez que has hecho tu elección, comunica tus deseos y preferencias claramente a tu médico; leer la mente no fue parte de su programa de práctica médica. Una comunicación efectiva es la clave para establecer la confianza y afinidad vitales para cualquier relación exitosa, y lo mismo sucede con tu médico.

Investigación prenatal

Hacerte conocer

La relación oficial con tu médico comienza con una investigación prenatal en tres partes. Primero, una historia clínica revela los antecedentes de problemas actuales de salud tuyos o de tu familia inmediata que pueden afectar tu embarazo. Las preguntas son convencionales, de modo que no te abrumes cuando te pregunten si tomas heroína o tienes sífilis. Si tienes algo inusual (o lo que la "moral de la mayoría" podría considerar así), como enfermedades o hábitos inconfesables, no te sientas avergonzada ni ocultes información. Salvo pocas excepciones, los profesionales de la salud no te juzgan ni son insensibles. El objetivo es brindarte la mejor atención posible y trabajar con cualquier problema que exista, no importa cuál sea.

Lo siguiente es un examen físico. Además de la habitual rutina de darte pinchazos y hacerte sacar la lengua, tu pelvis es evaluada por sus posibilidades como puerta de salida para el viaje de tu bebé hacia el nuevo mundo. *Adecuado* y *en el límite* son dos expresiones comúnmente usadas. "Adecuado" significa que el bebé podría deslizarse sin problemas; "en el límite" significa esperemos y veamos: podría ser muy estrecho. Si tu médico describe tu pelvis tan grande como el Gran Cañón, considéralo un cumplido. Pero no te vuelvas horrible y odiosa si tu médico dice: "Tiene una pelvis a través de la que podría sacar al bebé" y luego terminas con una cesárea. Suele suceder. Nada está garantizado en un 100%.

Durante el examen pélvico, se palpa tu útero para determinar si la fecha de tu último período menstrual (UPM) es coherente con el tamaño de tu útero. El examen brinda puntos de referencia para asegurarse de que las cosas siguen su curso normal durante el embarazo y el bebé está creciendo en fecha. Si no estás segura de tu UPM, o tienes factores de riesgo, una ecografía puede realizarse a las 20 semanas de gestación o antes para establecer más exactamente tu fecha de parto. La distancia de tu hueso púbico hasta el cuello del útero (*fundus*) se mide en centímetros. El número de semanas de embarazo coincide aproximadamente con el tamaño del útero; 20 semanas equivalen a 20 centímetros, con una diferencia de un centímetro. Ésta es otra manera de seguir el crecimiento de tu bebé.

La última parte de la investigación incluye análisis de laboratorio hechos por las siguientes variadas razones.

Análisis de rutina

Muestra de sangre (hemoglobina y hematócritos)

Este análisis detecta anemia. Se repite a las 28 semanas aproximadamente para monitorear si el volumen de sangre se ha expandido adecuadamente. Tu hematócrito normalmente disminuye durante el segundo trimestre por el aumento del volumen de plasma y el crecimiento más lento en la producción de glóbulos rojos. La disminución normal no es sinónimo de anemia. Ya que esta disminución es un signo de salud, algunos profesionales se oponen a la rutina de dar suplementos de hierro.

Cultivo de orina

Este análisis rastrea infecciones y otras enfermedades de los riñones ya que los síntomas pueden no ser visibles.

Tipo de sangre y factor Rh

Este análisis establece si hay algún riesgo por una incompatibilidad potencial y una enfermedad en el Rh.

Examen de anticuerpos

Tu cuerpo produce sustancias (anticuerpos) en respuesta a la exposición de otras sustancias que le resultan extrañas (antígenos). Los análisis de sangre detectan anticuerpos que pueden ser dañinos para tu bebé.

Título de anticuerpos contra el sarampión

Este análisis determina si eres inmune al sarampión. La proporción de mujeres no inmunes es de alrededor de un 10%. El sarampión produce serias deformidades congénitas si la madre se contagia durante el embarazo. La inmunización para mujeres no inmunes se realiza *después* del parto.

Serología (VDRL)

Éste es el análisis para la sífilis. El porcentaje positivo es muy bajo, pero determinarlo es requerido por la ley.

Azúcar en sangre

Este análisis investiga una potencial diabetes de gestación (intolerancia a la glucosa inducida por el embarazo). El embarazo es el momento perfecto para examinar la tendencia diabética de *todas* las mujeres. Las hormonas del embarazo inhiben la producción de insulina, que puede dar como resultado una condición diabética temporaria. Se consume una comida rica en carbohidratos o una bebida con 50 gramos de glucosa y se analiza el nivel de azúcar en sangre en 1 o 2 horas. Lee la sección "Diabetes de gestación" en el Capítulo 13.

Visitas siguientes

Las visitas al consultorio son mensuales hasta las 28 semanas, cada dos semanas hasta las 32 semanas y habitualmente semanales durante el último mes. Es posible que tus visitas sean muy breves, pero son verdaderamente importantes. Además de responder a tus preguntas, tu médico evaluará y examinará varias cosas, incluyendo:

1. *Presión sanguínea (PS)*. Normalmente tu PS disminuye hacia el segundo trimestre. Si aumenta en este período, puede ser un signo de toxoplasmosis, una enfermedad peligrosa para ti y para el bebé.
2. *Peso*. Tu esquema de aumento de peso es importante para el crecimiento de tu bebé. Un aumento inusual, más de 900 gramos en una semana, puede ser el primer signo de preeclampsia.
3. *Tamaño del útero*. El médico mide la distancia desde tu hueso

púbico hasta la punta de tu útero. La medida indica si el bebé está creciendo apropiadamente y ayuda a detectar la edad de gestación del bebé y el retraso en el crecimiento intrauterino.

4. *Pulsaciones fetales.* Tu médico hace este test en forma rutinaria para reasegurarte y entretener a los hermanos. Es un toque agradable, pero no proporciona información confiable en cuanto al bienestar del bebé. No es válida la predicción del sexo sobre la base de los latidos del corazón, que tienden a ser más rápidos en el embarazo temprano y más lentos a medida que el sistema nervioso central madura. Los latidos del corazón usualmente están entre las 120 a 160 pulsaciones por minuto.

5. *Análisis de orina.* Tu *orina* es tradicionalmente examinada en cada visita por la proteína y el azúcar. Muchas mujeres embarazadas normales eliminan azúcar en su orina. Un análisis de azúcar en sangre es la forma más conveniente de investigar la diabetes. Las proteínas son chequeadas para detectar preeclampsia, pero el aumento de peso y la PS son indicadores más tempranos de la presencia de esta enfermedad. Remítete a la sección "Preeclampsia" en el Capítulo 13.

Otros análisis

Chlamydia

La clamidiasis es una enfermedad común de transmisión sexual, con tres millones de nuevas infecciones que se producen anualmente en los Estados Unidos. No hay efectos adversos conocidos sobre el embarazo. Ocasionalmente, la madre contrae una infección pélvica por *chlamydia* en el posparto. El bebé recién nacido cuya madre tiene el microorganismo en el cuello del útero puede contraer infecciones oculares o neumonitis después de nacer. La clamidiasis detectada durante el embarazo puede tratarse efectivamente antes del parto para eliminar el riesgo para el bebé y la mamá.

Varicela

El 5% de la población adulta escapó de contraer varicela en la infancia. Sólo un cuarto de adultos sin haber tenido el virus en su 107 historia son vulnerables. Un análisis de laboratorio puede detectar inmunidad si no estás segura de haberla tenido. La varicela puede ser muy peligrosa en el embarazo. Si no eres inmune y estás expuesta al virus, puedes ser tratada con zóster inmunoglobulina mientras estás embarazada. Habla con tu médico.

Citomegalovirus (CMV) y parvovirus

La exposición al CMV puede ocurrir en trabajadores de la salud, maestros de escuela y personas a cargo de enfermos. El parvovirus provoca "la quinta enfermedad", que es una enfermedad virósica muy común en los escolares. Si la madre contrae la infección durante el embarazo, el riesgo para el bebé es muy pequeño. Si estás expuesta a estos virus, cuéntaselo a tu médico, que te aconsejará.

Virus de inmunodeficiencia humana (HIV)

El HIV es un virus de transmisión sexual que provoca SIDA (síndrome de inmunodeficiencia adquirida). El virus ataca el sistema de inmunización del cuerpo, dando como resultado una pérdida de resistencia contra diversas infecciones. Puede estar presente en la sangre muchos años antes de que el SIDA se desarrolle. El 90% de casos de SIDA han ocurrido en hombres homosexuales o bisexuales, consumidores de drogas intravenosas (IV) y aquellos que han recibido HIV de sangre contaminada o productos sanguíneos. En ciudades con un alto porcentaje de usuarios de drogas IV el HIV en mujeres embarazadas se está volviendo más relevante.

Los obstetras están preocupados por el HIV porque las mujeres embarazadas pueden transmitir el virus, sin saberlo, a su hijo nonato. Si has tenido contacto sexual en algún momento con alguien en los grupos de alto riesgo, portadores del virus de SIDA, conversa acerca de tus preocupaciones con tu médico.

Hepatitis B (hepatitis serosa)

Es posible portar el virus de hepatitis B y no tener síntomas. El virus puede transmitirse al bebé de la mujer embarazada durante el parto. Cuando una embarazada es identificada como portadora del virus, puede hacerse un tratamiento al bebé al nacer para prevenir la infección.

Los trabajadores de la salud y los habitantes del sudeste de Asia son considerados el grupo de riesgo más alto por ser portadores del virus. En algunas áreas, testear la hepatitis B es una rutina para todas las embarazadas. Si estás en la categoría de alto riesgo, habla con tu médico.

Toxoplasmosis

Si tienes un gato o trabajas en el terreno de la veterinaria, estás expuesta a contraer esta enfermedad. La toxoplasmosis es una infección resultante del contacto con protozoos que se transportan por aire provenientes de excrementos de gato o por comer carne contaminada cruda o semicruda. Si estás en la categoría de riesgo, díselo a tu médico de modo que pueda examinarte para ver si has tenido una infección previa. Es bueno reasegurarte de que no haya peligro para tu bebé. Idealmente, deberías ser examinada antes de quedar embarazada.

12

Cuándo llamar al médico

Dos clases de mujeres vuelven locos a los médicos: aquellas que llaman por cada dolorcito y aquellas que no llamarían aunque estuvieran estaqueadas en un hormiguero porque "No quiero molestarlo". Aquí, algunas sugerencias que pueden ayudarte a evitar caer dentro de estas dos categorías.

Cualquier pérdida de sangre vaginal

La pérdida de sangre vaginal no significa automáticamente desastre, pero su origen debe ser investigado. Habitualmente se produce pánico si estás en el *toilette* y descubres la sangre porque incluso unas pocas gotas parecerán metros cúbicos no bien caen en el agua. Límpiate con papel higiénico y toma nota del color: ¿rojo brillante o más bien un marrón rojizo? ¿La pérdida comenzó después de alguna actividad tal como el coito o trasladar muebles? ¿Está asociada con un calambre o un dolor localizado en alguna parte? Tu médico te preguntará estas cosas y también cuánta sangre piensas que perdiste. Simplemente recuerda la diferencia entre una pérdida de sangre y una hemorragia: si la sangre no corre por tu pierna ni inunda tu zapato, no tienes hemorragia. Mantén la calma y llama a tu médico.

Hinchazón de cara y dedos. Hinchazón generalizada

La hinchazón de pies y tobillos es común en el embarazo, de modo que no es motivo de alarma. La hinchazón de cara y dedos puede ser un signo de preeclampsia (toxemia) y necesita un seguimiento de tu médico. (Lee la sección "Preeclampsia" en el Capítulo 13.)

Dolor de cabeza continuo o severo

Un dolor de cabeza continuo o severo es otro signo posible de preeclampsia. Una visión disminuida o borrosa puede acompañar este tipo de dolor de cabeza. Las jaquecas también tienen estos síntomas.

Dolor abdominal

Dolores y malestares son tan comunes en el embarazo que a veces necesitas ayuda para decidir si tu dolor de abdomen es algo por lo que deberías preocuparte. Antes de llamar al médico, piensa acerca de cada clase de dolor que tienes. ¿Dónde es? ¿Cómo se siente? ¿Tienes algún otro síntoma además del dolor de abdomen, como por ejemplo una pérdida de sangre? ¿Has notado un aumento en tu flujo vaginal? ¿El dolor va y viene o es constante?

Podría ser solamente el viejo dolor en torno a los ligamentos, pero llama a tu médico y verifícalo.

Vómitos persistentes

Necesitas ayuda con esto para no deshidratarte demasiado y alterar el equilibrio químico de tu cuerpo. No esperes hasta estar tan sedienta que tu lengua parezca el desierto de Sahara. Llama a tu médico.

Escalofríos o fiebre

Podría tratarse de la vieja variedad de gripe común con la cual nadie puede hacer demasiado, PERO también podría ser una infección de riñones, lo cual es serio. Si tu temperatura está arriba de los 38°, llama a tu médico. Si tienes una fiebre más baja que 38° pero dolor en el área de tus riñones y/o frecuencia y ardor en la micción, llama a tu médico; es posible que tengas una infección en los riñones.

La variedad de fiebre común con temperaturas debajo de los 38° sin otros síntomas habitualmente se resuelve sola en 24 horas. Intenta con paracetamol y líquidos. Si tus síntomas no se resuelven dentro de las 24 horas o estás preocupada, llama al médico.

Dolor al orinar

La mayoría de las mujeres no necesitan ser incentivadas para llamar al médico por esto. Sientes que tu vejiga va a explotar, pero todo lo que puedes eliminar son unas pocas gotas y con gran dolor. Una infección en la vejiga, además de ser dolorosa, es una causa común de síntomas de trabajo de parto antes de término y necesita ser tratada porque no puedes curarla tú misma.

Daño accidental

Generalmente el bebé está bien protegido de un trauma brusco en el abdomen durante el embarazo temprano y medio por el efecto amortiguador del líquido amniótico. En el embarazo tardío, un daño al bebé es más factible cuando la cabeza está fijada en la pelvis y el líquido amniótico normalmente ha disminuido.

El 7% de las mujeres experimentan algún tipo de lesión durante el embarazo. La vasta mayoría de estos accidentes no dañan al bebé. Ocasionalmente, una lesión en el abdomen puede disminuir seriamente el pasaje de oxígeno al bebé. La separación prematura de la placenta de la pared uterina y altos niveles de estrés asociados con un accidente de auto u otro trauma se consideran factores que contribuyen.

113

Si tienes un accidente y tu abdomen recibe un golpe, llama al médico. Algunos análisis de confirmación pueden ser hechos en el hospital. Además de examinarte a ti, el equipo médico puede evaluar al bebé. Un test de esfuerzo de contracción y un monitoreo fetal pueden detectar signos de peligro fetal. El análisis de sangre Kleihauer-Betke se hace para detectar pérdida de sangre fetal. Los análisis pueden llevar 2 o 3 horas en total, pero te brindarán algo de tranquilidad.

Una pizca de prevención: usa tu cinturón de seguridad de tres puntos de protección. El cinturón del regazo debe estar colocado sobre tus muslos. Los cinturones de seguridad disminuyen significativamente las lesiones para mamás y bebés.

13

Complicaciones en el embarazo

Lluvia en tu paseo

Para la mayoría de las mujeres, el embarazo es un proceso normal y sin grandes novedades a nivel fisiológico. Confías en pasar un embarazo sin problemas, luciendo y sintiéndote espléndida. Cuando surgen complicaciones te ves forzada a hacer algunos ajustes en tu plan de embarazo idílico. No es un ajuste fácil para la mayoría de las mujeres. Tu autoestima sufre. La decepción y el enojo son emociones comunes mientras luchas para manejar los episodios inesperados. Agregas ansiedad y temor por ti y por tu bebé al brebaje de bruja hecho de incógnitas que enfrentas. Necesitas atención experta sumada a un soporte emocional e información precisa para salir adelante con los cambios de una manera eficaz.

Este capítulo comenta las complicaciones más comunes en el embarazo. Cuando entiendes lo básico, tu ansiedad disminuye. Cuando estás tranquila, tienes más capacidad de oír y comprender lo que tu médico te comunica. Descubrirás que puedes arreglártelas y mantener algún control sobre los eventos imprevistos que han alterado tus planes de embarazo. No tienes que tirar a la basura tu proyecto original para el embarazo; simplemente tienes que remodelarlo un poco. Por ejemplo, todavía puedes disfrutar y celebrar los aspectos normales. Puedes sentir que el bebé se mueve, tomar clases de preparación para el parto y comprar los muebles para el pequeño. Experimentarás esos dolores y malestares "normales" del embarazo igual que cualquier otra mujer embarazada. Sólo una parte de tu embarazo es complicada, ¡no todo!

Diabetes de gestación

Aproximadamente del 1 al 4% de las mujeres embarazadas desarrollan la condición conocida como diabetes de gestación. ¿Qué es lo que ocurre?

Páncreas agotado

Durante el segundo trimestre, las hormonas del embarazo están en plena marcha. Estas hormonas inhiben la eficacia de la insulina en el cuerpo. El páncreas, que produce insulina, tiene que trabajar más duro de modo de producir más insulina para dar abasto con la creciente demanda. La mayoría de las mujeres son capaces de cumplir con esta demanda creciente; para aquellas que no pueden, el resultado es un estado temporario de diabetes cuando la demanda es mayor que el abastecimiento de insulina.

Depositando en tu cuerpo

En el estado diabético, tu cuerpo no puede llevar a cabo eficazmente la función de convertir el alimento que ingieres en energía. Aquél puede compararse con cheques de energía que depositas en tu banco corporal. La insulina actúa como el cajero del banco que convierte tus cheques en energía utilizable. El azúcar simple es como el efectivo para la energía inmediata; la grasa se acumula como ahorros para emergencias; otra azúcar se reserva como un acceso fácil a tu cuenta bancaria. La insulina es la llave para que el sistema funcione eficientemente y no te quedes sin fondos. Sin insulina, tus reservas quedan congeladas. Tus depósitos no entran en tu cuenta y no tienes acceso a lo que ya está ahí. Tu sangre desarrolla altos niveles de azúcar pero no puede usarla. Es algo similar a tener $1 millón en una caja de seguridad pero sin tener la llave para abrirla.

Buenas noticias

A diferencia del tipo de diabetes que requiere insulina, la diabetes de gestación es una condición temporaria. Después de dar a luz, cuando las hormonas del embarazo se han ido, tu cuerpo retorna a su metabolismo regular. Tu bebé tampoco corre el peligro creciente de desarrollar anomalías congénitas ya que la diabetes de gestación no se desarrolla hasta el segundo trimestre. Veamos algunos problemas potenciales que necesitan ser anticipados.

Buen estado físico o gordura

Los niveles más altos de azúcar en sangre que experimentas con la diabetes de gestación presentan algunos problemas para ti y para tu bebé. El principal combustible de tu bebé es el azúcar. Hacia las 12 semanas está produciendo su propia insulina para utilizar el azúcar que le das. El azúcar de tu sangre atraviesa la placenta con mucha facilidad. Cuando tienes cantidades excesivas en tu torrente sanguíneo, esto gravita en tu bebé. Niveles descontrolados de azúcar que crónicamente se elevan implican grandes riesgos para tu hijo.

Los niveles de azúcar en sangre elevados crónicamente sobrealimentan al bebé; el resultado es un peso y tamaño excesivos. Cuanto más pesa tu bebé, más problemas potenciales hay para ambos durante el trabajo de parto y el alumbramiento. Por ejemplo, es posible que no tengas problemas dando a luz a un bebé de 3,600 kilos, pero para 4 a 4,500 kilos no hay espacio suficiente. Hay posibilidades de una lesión de parto para ti y el bebé. Tus chances para una cesárea aumentan. La ictericia y poca azúcar en sangre (hipoglucemia) son también complicaciones comunes

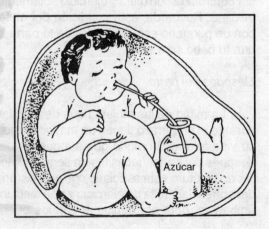

Azúcar

117

para el bebé cuando el azúcar en sangre está descontrolado durante el embarazo. La detección y el control de esta condición son cruciales para un embarazo exitoso.

Detección y tratamiento

El American College of Obstetricians and Gynecology (ACOG) recomienda examinar a todas las mujeres embarazadas de 30 años para arriba y a aquellas que tienen factores de riesgo para la diabetes. Muchos expertos creen que todas las mujeres embarazadas necesitan un examen entre las 24 y 28 semanas de embarazo. El examen incluye la ingestión de una bebida con 50 g de azúcar o de una comida rica en carbohidratos. Una muestra de sangre se toma 1 o 2 horas después. Algunos médicos tienen indicadores de azúcar en sus consultorios y ofrecen este test a sus pacientes; vale la pena hacerlo. En estos días, con una detección temprana y un control apropiado, muchos problemas potenciales pueden evitarse.

El tratamiento de la diabetes de gestación es muy simple. Tu médico te prescribirá una dieta que controla el azúcar en tu sangre, manteniéndola en niveles estables. La mayoría de las mujeres embarazadas son capaces de regular su azúcar en sangre sólo con la dieta. Es importante seguir la dieta si quieres evitar los problemas mencionados anteriormente. Un programa razonable de ejercicios también ayuda a controlar el azúcar en sangre. Si tu azúcar en sangre no puede ser controlada con dieta y ejercicio solamente, también se prescribirá insulina. Recuerda, esta condición del metabolismo es temporaria; con un pequeño esfuerzo extra de tu parte, puedes estar segura de que tu bebé será sano.

Después del parto

La mitad de las mujeres que desarrollan diabetes de gestación durante el embarazo tienen un mayor riesgo de contraer diabetes en su vida futura. De modo que aunque tu metabolismo se normalice después del parto, necesitas un seguimiento. El desarrollo de diabetes en tu futuro está asociado con una historia familiar de la enfermedad, obesidad, falta de ejercicio y una dieta inadecuada. Después del embarazo, opta por continuar con los buenos hábitos alimentarios adquiridos con tu dieta, y sigue haciendo ejercicio para perder kilos de más. Tendrás tu recompensa en el futuro.

Diabetes que requiere insulina

Para aquellas que son diabéticas y usan insulina regularmente también hay buenas noticias. Las soluciones para mujeres con diabetes y sus bebés son mejores que nunca. Con niveles de azúcar bien controlados durante el embarazo, puedes confiar en que tendrás un bebé sano.

El tratamiento de la diabetes que requiere insulina en el embarazo se ha vuelto más eficiente, menos costoso y menos perturbador de tu estilo de vida de lo que solía ser. El monitoreo de niveles de azúcar en tu casa te da más control y la consecuente información que necesitas para mantener tus niveles de azúcar en sangre dentro de límites estables.

Para asegurar el mejor resultado posible para tu bebé, visita a tu internista, obstetra o perinatólogo *antes* de quedar embarazada. Lograr el mejor control posible antes de la concepción disminuye los riesgos de anomalías congénitas. En el momento en que te des cuenta de que estás embarazada, puede ser demasiado tarde dado que las anomalías ocurren en el primer trimestre. *Comienza con una prevención temprana.*

Herpes

No tan simple

El herpes simple solía ser antiguamente una mera "afta". En 1980 se convirtió en el temido virus que arrojó un manto mojado sobre el fuego de la revolución sexual. La histeria del herpes creció porque la medicina no tenía prevención ni cura, y se achicó por la amenaza más seria de SIDA.

El virus del herpes es la Greta Garbo de las enfermedades de transmisión sexual —elusivo y misterioso—. La verdadera incidencia del herpes es desconocida dado que no se reporta a las agencias de

119

salud pública. Incluso tratar de confirmar si tienes herpes o no puede ser enloquecedor. Déjame enumerar las maneras.

Análisis de sangre

Un análisis de sangre prueba la exposición al virus y no si has tenido herpes. La mayoría de los adultos tendrán un resultado positivo que sólo muestra una exposición universal al virus.

Cultivos

La *única* manera de probar un diagnóstico de herpes es obtener una muestra y someterla a observación para ver qué aparece (cultivo). Los problemas surgen con falsos positivos (el análisis dice que lo tienes pero no es así) por otras infecciones virales. El cultivo falso negativo (virus presente pero que no crece) ocurre incluso si tienes lesiones pero no están visibles en ese momento. Es posible también contraer el virus y que no haya aparecido en forma de lesión por años. Nadie sabe con certeza qué dispara la infección. Algunos matrimonios han llegado a un fin prematuro e innecesario discutiendo quién le transmitió qué a quien. Recuerda, un diagnóstico clínico, donde el médico simplemente mira la lesión y dice "Sí, lo tienes" está sujeto a error. Deben realizarse cultivos para tener seguridad.

Contraer herpes crea un desorden en tu cuerpo y tu psiquis. Los sentimientos más comunes son la vergüenza y la culpa. Es posible que te sientas como una leprosa. Tu embarazo probablemente traiga a la superficie todos esos sentimientos que pensabas que habías superado, especialmente la culpa. Ahora tienes a tu bebé y las posibles consecuencias a considerar. Los hechos deberían reafirmarte y permitirte disfrutar de tu embarazo sin la angustia de una catástrofe.

Simplemente los hechos

El 1% de embarazos se complican por el herpes. Los riesgos difieren entre la infección primaria (la primera que tienes) y cualquier recurrencia. En el embarazo temprano con una infección primaria, existe un riesgo mayor de aborto pero no de deformidades en el nacimiento. El herpes generalmente no es un indicador para terminar un embarazo. En las últimas 6 semanas de embarazo, hay un riesgo acrecentado de parto prematuro y de infectar al bebé después de nacer. Las recurrencias de herpes durante el embarazo no ofrecen ningún riesgo al bebé; muy raramente el virus atraviesa la placenta hasta alcanzarlo. El número de bebés que realmente se infectan con herpes después de nacer es muy pequeño, 1 en 4.000 o 5.000. Desafortunadamente, aquellos bebés que contraen herpes tienen un porcentaje de mortalidad del 40%. Dos tercios de aquellos que sobreviven tienen serios problemas neurológicos o daño ocular. Para mayor tranquilidad, aquí hay algunas pautas a seguir:

- Si ya se ha probado que tienes herpes, no se necesitan cultivos durante el embarazo.
- Si no has tenido herpes anteriormente y descubres lesiones (llagas), necesitas hacer un cultivo mientras el virus todavía es visible. El mejor momento para hacer un cultivo es cuando sientes picazón o ardor inmediatamente antes de la erupción y el primer o segundo día después de la erupción. Haz una cita con tu médico y muéstrale exactamente dónde está la supuesta lesión.
- Durante las erupciones, asegúrate de no transmitir las lesiones a otras partes de tu cuerpo. Agua y jabón son buenos desinfectantes. Esparcir almidón sobre las llagas y secarlas con tu secador de pelo funciona muy bien.
- Hay una regla fundamental: el bebé y el virus no deberían encontrarse. Si hay lesiones presentes durante el trabajo de parto, probablemente tengas una cesárea.
- Si no se detectan lesiones en el momento del trabajo de parto, tendrás un parto vaginal.

Manejo del parto

Cuando las lesiones están presentes en el parto, se realiza una cesárea para tratar de prevenir la transmisión del virus al bebé, pero no existen garantías. ¡Cuando hay lesiones activas y las membranas se rompen, el rol de la cesárea es fundamental! Algunos médicos no harán una cesárea si hace más de 4 horas que la bolsa se ha roto porque sienten que la infección ha tenido un tiempo considerable para viajar hacia arriba, dentro del útero. Otros médicos prefieren hacer una cesárea en esos casos. Es una decisión difícil porque nadie sabe con certeza cuál es el mejor método.

Buenas noticias

Aun si has dado a luz con lesiones activas, recuerda que más del 90% de los bebés no se infectan. La mayoría parece estar protegida de la infección por los anticuerpos de la madre.

Después de dar a luz, incluso si has tenido lesiones, la única precaución que debes observar es lavarte bien las manos. Los procedimientos de aislamiento o una habitación privada no son necesarios. Es posible que la *nursery* insista en que el bebé permanezca contigo en el cuarto, eso depende de su política. Puedes amamantar si lo deseas.

Preeclampsia

Hechos y falacias

La preeclampsia probablemente ha existido desde que las mujeres han concebido. También se la conoce como toxemia, hipertensión inducida por el embarazo o gestosis EPH. Es la enfermedad peor comprendida y más oculta en el embarazo. Aclaremos algunos de los mitos más comunes:

- La preeclampsia no se relaciona con la obesidad ni con un aumento excesivo de peso durante el embarazo.
- No es provocada por la sal (cloruro de sodio). Las mujeres con preeclampsia en realidad tienen niveles de sodio normales. *No se recomienda restringir la sal.*
- La condición no se cura ni alivia tomando diuréticos para la hinchazón.
- No es causada por una placenta enferma, venenos o toxinas en el cuerpo. El término "toxemia" todavía se usa, pero no es el adecuado para describir la enfermedad.

122

- No se previene con una terapia vitamínica ni rica en proteínas ni ninguna otra dieta. *No existe prevención conocida.*

La preeclampsia es una de las enfermedades más estudiadas en el embarazo. A pesar de todas las investigaciones aún no sabemos qué provoca la enfermedad o cómo prevenirla. La única cura por el momento es dar a luz al bebé.

La computadora se descompone

La preeclampsia aparece generalmente durante el primer embarazo. El 5% de los embarazos desarrollan preeclampsia. Además de las madres primerizas, mujeres con diabetes, hipertensión crónica y embarazos múltiples corren el peligro de contraer la enfermedad. La preeclampsia parece ser el resultado de una cantidad de factores que interactúan y afectan la respuesta del sistema inmunológico de la madre, que puede hacer un corto circuito a causa de una nutrición deficiente más la exposición a las hormonas placentarias la primera vez. Los factores genéticos pueden jugar una parte... algunas incompatibilidades desconocidas entre mamá y papá. ¿Quién lo sabe con certeza? La computadora inmunológica del cuerpo, por alguna variable desconocida, no "programa" la respuesta del cuerpo al embarazo en forma normal y como resultado se contrae preeclampsia.

Caos en el software. *Lo que funciona mal*

La preeclampsia tiene importantes efectos sobre ti y tu bebé. Tu sistema vascular, que sostiene y transporta la sangre a través de tu cuerpo, cambia su configuración con esta enfermedad. En vez de ser conductos derechos y profundos por los cuales la sangre fluye libremente, tus vasos sanguíneos tienen áreas muy angostas y otras muy anchas. La creciente presión dentro de los vasos sanguíneos obliga al líquido a salir hacia los tejidos para aliviar la presión. Tu sangre se espesa sin el fluido. Tu presión sanguínea (PS) sube por las áreas de constricción en los vasos. Los cambios en los vasos producen los tres síntomas que se usan en el diagnóstico de eclampsia: edema (hinchazón), hipertensión (aumento de la presión sanguínea) y proteínas en la orina.

La sangre que pasa al bebé disminuye debido a la reducción del volumen del fluido dentro de tus vasos y al aumento en la presión sanguínea. Estas "cortas raciones" producen un bebé pequeño cuyo crecimiento físico potencial se ve perjudicado. Retraso en el crecimiento intrauterino (RCI) es el término utilizado para describir esta condición.

Síntomas y señales

La preeclampsia es similar a un virus de computadora. Está presente mucho antes de que te des cuenta de que algo funciona mal. La enfermedad hace su aparición en algún momento después de la duodécima semana de embarazo. El primer signo es generalmente un aumento de peso de más de 900 gramos en una semana. Una hinchazón generalizada (edema) aparece luego. Es normal tener hinchazón en pies y tobillos, pero no es normal que se inflamen la cara y las manos. Presta atención si no puedes sacarte tus anillos y tu cara parece más llena que lo habitual.

Después de la hinchazón, tu presión sanguínea comienza a subir. Una PS de 140/90 es anormal en el embarazo. Incluso puedes tener preeclampsia aunque tu presión sanguínea no alcance ese nivel. Si el número superior de tu presión sanguínea sube a los 30 puntos por encima de tu PS temprana o anterior al embarazo y el número inferior sube a los 15 puntos, todavía es posible que tengas preeclampsia. Por ejemplo, si tu presión en el primer trimestre era 90/60 y ahora registras constantemente 120/75, necesitas ser evaluada, particularmente si tienes también hinchazón. Con una preeclampsia leve, es posible que no tengas proteínas en tu orina.

Previsión-tratamiento

Dado que el parto es la única cura para la preeclampsia, tu médico trata de retrasar el progreso de la enfermedad hasta que los pulmones de tu bebé estén lo suficientemente maduros como para un parto seguro. No hay ventajas en esperar si no es necesario —la enfermedad no mejora con el tiempo.

La preeclampsia se clasifica como leve o severa. Cada categoría se trata de manera diferente. Con la preeclampsia leve tendrás una hinchazón generalizada y tu PS se eleva pero debajo de 160/110. Probablemente no tengas proteínas en tu orina. Te sientes bien, lo cual es engañoso. Con esta enfermedad rápidamente puedes pasar de la forma leve a la severa en cuestión de horas. Es realmente impredecible. Escucha lo que te dice tu médico y coopera a pleno. Es posible que tu médico te deje quedarte en casa en vez de hospitalizarte si tienes preeclampsia leve. Las instrucciones de tu médico generalmente incluyen mucho descanso recostándote sobre un costado. Esta posición ayuda a que el líquido del edema vuelva a reabsorberse en tus vasos. Tu presión sanguínea habitualmente decrece y tu bebé se beneficia con el flujo sanguíneo extra. Puedes disfrutar poniéndote al día con tu teleteatro favorito o leyendo una novela romántica por tercera vez. Generalmente no es necesario un reposo estricto en cama, pero está prohibido cocinar, limpiar, ir de compras y hacer acrobacias. Si intentas continuar con tus actividades normales, tu preeclampsia sólo empeorará y acabarás en el hospital.

Además de reposo, tu médico tendrá que tomarte la PS varias veces por día. Chequea tu PS siempre en el mismo brazo y en la misma posición para tener una constancia en las lecturas. Es posible que tu médico también tenga que chequear la proteína en tu orina con una varilla de medición.

Tus salidas de casa deberán ser breves. Puedes ir al consultorio del médico o al hospital para hacerte pruebas de esfuerzo o sin esfuerzo con el objeto de monitorear cómo maneja el bebé los efectos de la preeclampsia. Te harán análisis de sangre semanales para controlar el progreso de la enfermedad. Pueden realizarse ecografías para asegurarse de que tu bebé está creciendo en término. Si no mejoras a pesar de la disminución de la actividad, puede ser necesaria la hospitalización.

Con la preeclampsia severa tu PS estará en 160/110 o más alta en 2 o más chequeos con un intervalo de 5 minutos de descanso. Tu orina mostrará la presencia de proteínas. Probablemente no te sientas bien. Tendrás algo que pensarás que es acidez y dolor de cabeza. El tratamiento es la internación. La decisión de dar a luz a tu bebé dependerá de lo que tu doctor decida que es el mejor curso de acción para ti y para tu bebé.

Con la preeclampsia severa tu médico se preocupará por posibles convulsiones. Te dará sulfato de magnesio, la droga utilizada para prevenir ataques de apoplejía, que generalmente se aplica por vía intravenosa. Cuando la droga se administra por primera vez puede taparse tu nariz, dolerte la cabeza, y que te sientas muy acalorada. Estos efectos comunes se calman en un corto lapso.

Tu médico te comentará las opciones más convenientes y te ayudará a entender el mejor curso de acción para ti y para tu bebé. Recuerda, con el parto llega la cura. La preeclampsia no tiene efectos a largo plazo, estarás bien y todo volverá a la normalidad. En seguida te sentirás mejor y conocerás a tu bebé.

Parto prematuro

Del 6 al 8% de los bebés nacen antes del término de gestación. Estos números pequeños, sin embargo, dan razón del 75% del total de muertes neonatales —una estadística significativa—. Cuesta tanto atender a 5 bebés prematuros como a 150 mujeres embarazadas. Todo el mundo está de acuerdo en que la prevención es la mejor medida dado que la madre naturaleza brinda la mejor incubadora. Pero es más fácil decirlo que hacerlo.

Una mescolanza obstétrica

Es extremadamente difícil prevenir algo cuando no estás segura de la causa exacta, como en el 50 o 60% de partos prematuros. La estrategia actual es identificar con anticipación a aquellas mujeres con mayor riesgo de parto prematuro. Una mirada a una guía de riesgos estimativos revela una mescolanza obstétrica de factores sociales, físicos y de embarazo que contribuyen a un parto prematuro. La siguiente es una lista ilustrativa.

Principales factores para un parto prematuro:
Parto prematuro previo
Embarazo múltiple (mellizos o más)
Cirugía abdominal durante el embarazo
Cérvix con menos de 1 cm de largo
Cérvix dilatado en más de 1 cm
Madre con LES (lupus eritematoso sistémico)

126

Biopsia cónica de cérvix
Cérvix incompetente
Útero irritable
Polihidramnios (exceso de líquido amniótico)
Anomalía uterina (útero doble)

Factores secundarios para un parto prematuro:
Pérdida de sangre después de 12 semanas
Un aborto previo en el segundo trimestre
Tres o más abortos selectivos previos en el primer trimestre
Enfermedad febril (fiebre)
Pielonefritis (infección de riñón)
Más de 10 cigarrillos por día

Prevención

Cuanto antes es diagnosticado el parto prematuro, más pronto puede comenzarse el tratamiento. Una vez que el cuello del útero ha empezado a dilatarse, es difícil detener el progreso del parto por mucho tiempo. La educación intensiva de mujeres en el grupo de alto riesgo, que muestra cómo evaluar los signos, es un método que viene usándose para prevenir el parto prematuro. La educación es reforzada por un contacto telefónico frecuente con enfermeras que brindan apoyo e información.

El monitoreo ambulatorio en casa es una técnica investigativa que puede ayudar a identificar un parto prematuro. La mujer usa un monitor de contracción uterina varias veces por día. Las contracciones registradas son transmitidas por teléfono a una unidad central donde los médicos o las enfermeras evalúan el *tape*. Algunos consideran que el sistema de monitoreo en casa es efectivo, pero para otros la educación y autoevaluación de la mujer embarazada combinadas con un contacto frecuente con la enfermera funcionan también y son menos costosas. El tiempo lo dirá.

Qué se está cocinando: síntomas

Los síntomas de un parto prematuro son a menudo muy sutiles; pueden ser irreconocibles hasta que el cérvix se haya dilatado.

Puedes sospechar de un parto prematuro si tienes:

- Un incremento en tu descarga vaginal clara y mucosa.
- Evidente contracción de tu útero, cada 10 minutos o menos.
- Dolor de espalda diferente del tipo que tienes generalmente.
- Una sensación de presión en tu pelvis.

Las infecciones en el conducto urinario son una causa común de síntomas de parto prematuro. Llama a tu médico si tienes uno o más síntomas (frecuencia y ardor en la micción). Es más fácil revisarlo que vérselas con un bebé prematuro en la unidad de atención neonatal intensiva por un mes o dos.

Tratamiento. Tus intervenciones

Si experimentas contracciones uterinas antes del término de la gestación, recuéstate sobre tu lado izquierdo y bebe un cuarto de agua. La combinación de reposo y líquidos a menudo calma al útero irritable. Llama a tu médico y dile con qué frecuencia aparecen tus contracciones y qué estás haciendo para aquietar tu útero.

Tratamiento. La intervención de tu doctor

Si las contracciones continúan a pesar de tus intervenciones, se requiere hospitalización para observar y tratar el parto prematuro. La mitad de las mujeres tratadas responderán al reposo sobre el lado izquierdo y a una administración intravenosa para aumentar el nivel de líquido (hidratación). El monitor fetal documenta la actividad uterina y asegura que el bebé esté bien. Si después de una hora o dos las contracciones se acercan y/o el cérvix se está alterando, la decisión de intentar detener el trabajo de parto tiene que ser tomada. El trabajo de parto no se detiene si:

- Estás embarazada de 31 semanas o más.
- Los pulmones del bebé están maduros.
- Tienes una dilatación de 4 cm o más.
- Has roto la bolsa de agua.

Las contraindicaciones para suprimir el trabajo de parto incluyen sufrimiento fetal, diabetes pobremente controlada, preeclampsia severa, infección intrauterina y pérdida de sangre.

Varias drogas son usadas para detener el trabajo de parto si estás entre las 26 y 35 semanas de embarazo. Ganan tiempo para permitir que los pulmones del bebé maduren. Cuanto más dilatado está tu cérvix, menos tiempo puedes ganar. La decisión de usar las drogas queda en ti y en tu médico.

Si tienes menos de 30 semanas de embarazo y tu hospital no tiene una unidad de atención neonatal intensiva (UANI) probablemente seas transferida a un hospital que pueda brindar la atención experta que tu bebé necesita. Esto es para beneficio de tu bebé. Si el hospital que te recibe tiene un equipo de transporte altamente entrenado, es posible que te permitan parir en tu hospital. Después del parto, tu bebé es transferido.

La crisis

Dar a luz un bebé prematuro precipita una gran crisis emocional y financiera. Importantes pasos en el desarrollo han sido interrumpidos. Estás sumergida en la maternidad antes de que estés lista emocionalmente —no tienes tiempo de saborear la anticipación—. Tienes que trabajar con las formidables emociones de decepción y culpa. La decepción es dolorosa y aguda —no has tenido tu experiencia de parto perfecta fantaseada—. En vez de un cuadro perfecto de un bebé nacido en fecha, tu premio es flaco, rojo y de un aspecto muy frágil.

La decepción es inferior comparada con la culpa que sientes. Estás convencida de que, en algún modo, eres responsable de que tu bebé haya nacido antes. Emocionalmente, cargas con una gran angustia. La bronca sigue al shock y puede ser dirigida hacia afuera, a aquellos que te rodean, o hacia adentro expresada como una depresión. La bronca proviene del miedo. Comunica tus sentimientos y miedos a tu médico y a las enfermeras que te atienden a ti y a tu bebé.

Luego está tu bebé. En vez de euforia existe miedo por el destino de tu nuevo pequeñito. Esperas comenzar el proceso de vínculo y de amor cuando no hay garantías de que sobreviva. Es posible que trates de protegerte, después de todo lo que has pasado, interrumpiendo el proceso de vínculo. Te preguntas si tendrás que decir adiós antes de 129 tener realmente la chance de decir hola. La situación puede parecer abrumadora. ¿Qué harás?

Perseverar

Tú y tu marido necesitan tanto amor y apoyo como tu nuevo bebé. No es momento de enfrentar el problema solos. Busquen en su entorno todo el soporte emocional que puedan. Usen la ayuda del trabajador social del hospital, capellán u otro profesional para trabajar con ese dificultoso pero necesario proceso de angustia y ajuste.

El desarrollo del UANI ha tenido un impacto tremendo en la proporción de supervivencia de bebés muy prematuros. Bebés de tan sólo 28 semanas, en manos de un neonatólogo y enfermeras altamente entrenadas, tienen una buena probabilidad de sobrevivir.

El personal de la UANI conoce el valor de hacer que toques, alimentes y pases tiempo con tu bebé directamente desde el comienzo. Horarios de visita flexibles brindan la oportunidad de alzar y acunar a tu bebé. Todavía puedes desarrollar ese importante vínculo. No pasará mucho tiempo hasta que no notes más los tubos y máquinas. Sólo tienes ojos para tu "chiquito" mientras crece como ese bebé de tamaño regular que esperabas.

En la mitad de todos los partos prematuros, nadie sabe qué ocurre. No puedes hacerte responsable por algo que no conoces. Has tenido que pasar una difícil prueba, pero de la adversidad nace la fuerza.

Mellizos

¡Pásame las sales aromáticas!

La posibilidad de tener más de un bebé está al acecho en algún lugar en los más oscuros recovecos de la mente de cada mujer embarazada. Los mellizos aparecen cada 100 embarazos. La idea puede deleitar a algunas y provocar horror en otras.

Comienzo mental

Antes del ultrasonido, tanto como el 30% de los embarazos de mellizos eran sorpresas. Las sales aromáticas no se necesitaban hasta el parto. Un diagnóstico temprano del embarazo de mellizos es de una importancia crucial; deben hacerse planes. En el primer trimestre o en los comienzos del segundo, una ecografía puede eliminar sorpresas. Durante la duración de tu embarazo y posteriormente necesitarás hacer ajustes en tu estilo de vida.

Problema doble

Los mellizos pueden duplicar tu alegría después del parto, pero hay problemas potenciales durante el embarazo que tu médico querrá anticipar y evitar. El embarazo de mellizos es de alto riesgo. Una atención cuidadosa para detallar y planificar ayuda a asegurar un aterrizaje feliz para tu dúo. Hacer un listado de algunos de los problemas potenciales no es para asustarte sino para darte una buena idea de por qué necesitas una atención especial durante tu embarazo.

Problemas potenciales para el embarazo de mellizos

- Porcentaje de mortalidad infantil significativamente más alto que en embarazos únicos.
- Pesos de nacimiento bajos.
- Parto prematuro. Los mellizos nacen, en un promedio, 3 semanas antes de lo normal.
- Crecimiento discordante —rivalidad fraterna intrauterina—. Un mellizo recibe más alimento de la placenta, y el otro es "subalimentado".
- Preeclampsia.
- Anemia materna.
- Problemas de la placenta, como separación prematura y placenta previa.
- Trabajo de parto complicado. Si un mellizo está de cola, a menudo se realiza cesárea.

Ahora sabes por qué muchos obstetras tienen el pelo gris. Guiar tu embarazo de mellizos a un feliz término y sin grandes problemas es un verdadero desafío para ti y tu médico. Hay cinco cosas importantes que puedes hacer:

131

- Alrededor de las 28 o 32 semanas, tu médico te pedirá que abandones el trabajo y pases una buena cantidad de tiempo acostada sobre un lado para acrecentar el flujo de sangre placentaria. Esto también ayuda a que los bebés aumenten de peso.
- Aprende los signos de parto prematuro. Presta atención a lo que tu cuerpo te está diciendo.
- *No dudes en llamar al médico o a la enfermera del consultorio si piensas que tienes contracciones.*
- Haz una dieta bien balanceada con las calorías adecuadas.
- Toma tus vitaminas, aquellas con hierro y ácido fólico.

Tu médico realizará varias ecografías durante el embarazo para seguir los patrones de crecimiento de ambos bebés —recuerda la rivalidad fraterna.

Análisis de rutina podrían agregarse semanalmente hacia las 32 semanas, si está indicado, para evaluar cómo están los bebés.

El parto puede agregar unas pocas canas más a la cabeza de tu obstetra. Querrá que des a luz en un hospital con equipo y personal entrenado para atenderte durante el parto y a tus bebés cuando nazcan. Habla con tu médico acerca de tus opciones. Si se presenta un parto prematuro, un centro perinatal es habitualmente la mejor apuesta. Habrá menos ansiedad si planeas por adelantado todas las situaciones posibles.

Incompatibilidades sanguíneas

Eritroblastosis fetal (EBF)

EBF es el resultado de incompatibilidades sanguíneas entre la madre y su feto. Comprender cómo ocurre la incompatibilidad entre sangre negativa y positiva puede ser confuso, pero a continuación intentamos explicarlo.

Cuando el tipo de sangre de la mamá es negativo y el tipo del padre es positivo, el bebé tiene una chance de 50/50 de ser positivo también. Ser positivo es lo que causa el problema entre la mamá y el bebé. El cuerpo de la mamá normalmente concibe al bebé como un parásito amigable e inofensivo. En la mamá Rh negativa cuyo bebé es

Rh positivo, el cuerpo de la madre concibe los glóbulos de sangre fetales como intrusos peligrosos y ejerce una acción. La mamá se sensibiliza y desarrolla anticuerpos (armas) para destruir los glóbulos rojos del bebé. A medida que los glóbulos rojos son destruidos, el bebé se pone anémico. Más problemas surgen cuando el bebé trata de compensar la anemia. En casos severos, el corazón y el hígado fetales pueden fracasar tratando de mantenerse firmes, aunque con los actuales tratamientos incluso el 70% de los bebés seriamente afectados sobrevive.

MAMÁ	y	PAPÁ	BEBÉ	RESULTADO
Neg.	y	Pos.	Pos.	Problema potencial
Neg.	y	Pos.	Neg.	sin problemas
Pos.	y	Neg.	Pos.	sin problemas
Pos.	y	Neg.	Neg.	sin problemas
Pos.	y	Pos.	Pos.	sin problemas
Neg.	y	Neg.	Neg.	sin problemas

Prevención

La prevención es siempre la mejor aproximación a cualquier problema. No hay excepción. Una vez que la madre está sensibilizada, la sensibilidad es para el resto de la vida y es irreversible. De nada sirve ignorar el problema.

El tipo de sangre, la determinación del Rh y la constatación de anticuerpos deben averiguarse en la primera visita prenatal. Todas las madres Rh negativas tienen que repetir la prueba de anticuerpos a las 28 semanas de embarazo. Si no hay anticuerpos que indiquen que está sensibilizada, debería darse una inyección profiláctica de Rh inmunoglobulina (RhIG). Después del parto, si el tipo de sangre del bebé es positivo, se da otra inyección de RhIG dentro de las 72 horas, cerrando la puerta a la sensibilización. Incluso si tienes una ligadura tubárica, necesitas RhIG porque ocasionalmente la ligadura tubárica falla, o en un momento posterior podrías querer que reconecten tus tubos.

133

Otras indicaciones para el RhIG

- Abortos espontáneos que ocurren más de 6 semanas después del último período menstrual.
- Aborto inducido.
- Embarazo ectópico.
- Después de una amniocentesis.

Existe siempre una gran esperanza de que la EBF se borrará de nuestras vidas, pero siempre hay contratiempos inadvertidos. Si cualquiera de las situaciones descriptas ocurre, recuérdale a tu médico que ordene la inyección de RhIG. No presupongas que no la necesitas porque no es así.

Incompatibilidad AB0

Ocasionalmente, la incompatibilidad sanguínea puede ocurrir cuando la mamá tiene tipo 0 y el bebé tiene sangre de tipo AB, A o B. Sólo un 2% de nacimientos son afectados por la incompatibilidad AB0. Este tipo de EBF es diferente del problema del Rh, no es tan serio y no se vuelve más severo con cada embarazo. El bebé no muere antes de nacer y la sofisticada tecnología, como la amniocentesis y el ultrasonido, no es necesaria. El parto prematuro no es necesario. La incompatibilidad AB0 es más una enfermedad pediátrica que obstétrica y generalmente puede ser tratada con poca dificultad después de que el bebé nace.

El blues *del retraso. Se posterga el parto*

Estás dos semanas pasada en tu fecha de parto y tu médico te considera oficialmente retrasada. Evitas ser vista en público porque estás cansada de que la gente te pregunte: "¿Todavía no tuviste a tu bebé?". Dejas de contestar el teléfono porque tu madre llama cada tres horas para preguntar: "¿Está pasando algo?". Has dejado de hablar con tu marido, tu médico y el resto del mundo. No quieres estar más embarazada. ¡Quieres que tu médico haga *algo*! Es posible que te sientas desgraciada, pero tu médico tampoco se está divirtiendo. Tiene que preocuparse de que tu placenta "madura" proporcione suficiente oxígeno y nutrientes a tu bebé. Tiene que pesar muchos factores con el fin de tomar la decisión apropiada en tu caso particular. Si tu fecha de parto actual es realmente incierta, peor todavía.

El estado de tu cérvix es habitualmente el factor crítico en la determinación de si el parto debe ser inducido o no. Con un cérvix inmaduro, algunos médicos prefieren dejar a la madre naturaleza sola si los tests de bienestar fetal son tranquilizadores, el bebé está creciendo en forma apropiada y hay una cantidad adecuada de líquido amniótico. Algunos obstetras comienzan el chequeo fetal a las 32 semanas.

Cuanto más inmaduro el cérvix, menos chance hay de una inducción de parto exitosa. No hay garantías de que la oxitocina trabaje. En algunos casos con un cérvix inmaduro, los médicos intentan la técnica de la inducción seriada: el primer día se pasa tratando solamente de madurar el cérvix, otro día se pasa "estimulando" el útero, y en el tercer día se hacen esfuerzos para provocar el parto verdadero —a veces funciona, otras no.

Si tu cérvix está maduro y listo, la mayoría de los médicos se sienten cómodos induciendo el parto. Todos pueden respirar aliviados.

OPCIONES Y PERSONAL DE ATENCIÓN DE LA SALUD

Opciones de atención de la salud

Particularmente si tienes un embarazo complicado, necesitas tener conocimiento de las diferentes opciones para el cuidado de tu salud. Los hospitales regionales se clasifican según el nivel de servicios que son capaces de brindar.

Un centro del *nivel 1* es generalmente un hospital de una comunidad pequeña que ofrece servicios de obstetricia básicos para la mujer de bajo riesgo.

Un centro de *nivel 2* tiene una cantidad de partos mayor que el de nivel 1. Tiene una UAPI y la capacidad de atender embarazos más complicados. Ofrece también servicios a la madre de bajo riesgo.

El centro de *nivel 3* es el centro perinatal de la región. Debe tener perinatólogos, neonatólogos y el personal entrenado necesario

135

para atender a la madre de alto riesgo y a su bebé. Todos los servicios necesarios se ofrecen las 24 horas, incluyendo consultas genéticas, transporte materno-fetal, educación y estudios. Así como los centros del tercer nivel se especializan en atención de alto riesgo, generalmente ofrecen también servicios a la madre de bajo riesgo.

Personal

Los *obstetras* se especializan en la atención de la mujer embarazada.

Los *perinatólogos* son obstetras con entrenamiento adicional. Se especializan en la atención de embarazos complicados y de alto riesgo, tales como la diabetes que requiere insulina. Además de la atención directa de la madre de alto riesgo, ofrecen servicios de consulta al obstetra si es necesario.

Los *neonatólogos* son pediatras con competencia adicional que se especializan en la atención del nuevo bebé con problemas médicos o condiciones que requieren cuidado intensivo, como los bebés prematuros.

14

Tests de bienestar fetal

Durante el embarazo pueden surgir complicaciones. Cuando las complicaciones tienen la posibilidad de afectar la salud de tu bebé, ciertos tests pueden brindar importante información en relación con su bienestar. Este capítulo comenta diversos exámenes que actualmente se utilizan para detectar al feto en peligro. La información que proporcionan los exámenes permite a tu médico tranquilizarte en cuanto al bienestar de tu bebé a pesar de los problemas existentes, o puede indicarte si el bebé estaría mejor afuera de tu cuerpo. Ten en cuenta que los exámenes son inmensamente útiles para tu médico pero no son infalibles.

Tests de esfuerzo y sin esfuerzo

Estos exámenes determinan si el bebé recibe suficiente oxígeno y nutrientes de la placenta. Nos proporcionan un modo de hacer que el bebé nos diga si es "rico" en oxígeno y nutrientes o si es tan "pobre" que apenas puede vivir de sus ingresos. Estos exámenes, a menudo usados en conjunción con otros, ayudan al médico a identificar al bebé "pobre" y dar tiempo para tomar decisiones apropiadas teniendo en cuenta el mejor plan de acción.

Test de esfuerzo de contracción (TEC). Test de estímulo de oxitocina (TEO)

La oxitocina es una hormona femenina natural que, cuando se libera, estimula al útero para que se contraiga. Durante las contracciones, la corriente de oxígeno al bebé disminuye temporariamente. El proceso es similar a cuando aguantas la respiración. El bebé rico en oxígeno no tiene problemas en arreglárselas con la disminución temporaria. El bebé pobre en reservas de oxígeno mostrará cambios sutiles pero detectables en sus latidos cuando el pasaje de oxígeno disminuye incluso temporariamente.

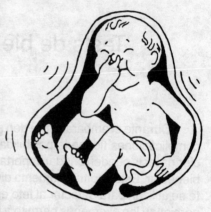

Tanto el TEC como el TEO son exámenes de estado físico intrauterino. Evalúan la capacidad de la placenta para suministrar el oxígeno adecuado al bebé. Las pulsaciones del bebé son observadas y evaluadas a través de tres contracciones durante un período de 10 minutos. El monitoreo fetal registra y evalúa cualquier cambio en el ritmo cardíaco del bebé que pueda indicar problemas potenciales con la oxigenación.

El cuerpo libera oxitocina a través de la estimulación de los pezones mediante masajes o movimientos circulares. Este método es menos costoso que el TEC porque no requiere administración intravenosa y consume menos tiempo. El método de estimulación de pezones es efectivo en aproximadamente un 75% de las veces.

Con el TEC, se coloca una solución intravenosa en la mano o en la muñeca, incorporando oxitocina hasta que se producen las tres contracciones en un período de 10 minutos. Este método puede tardar una hora en llevarse a cabo.

Las contracciones producidas por cualquiera de los dos métodos son indoloras. Una vez que la estimulación o la medicación cesan, las contracciones van decreciendo en el transcurso de una hora en la mayoría de los casos. Las posibilidades de iniciar un trabajo de parto real son muy remotas. El examen de estímulo de oxitocina habitualmente comienza a las 34 semanas de embarazo y continúa semanalmente hasta el parto.

Examen sin esfuerzo (ESE)

Muchos médicos prefieren el ESE dado que es menos complicado de realizar y más económico y puede hacerse en el consultorio. No se requiere ningún tipo de medicación ni administración intravenosa. El ESE es un examen del sistema nervioso central del bebé e, indirectamente, de la función placentaria. Si el sistema nervioso central funciona adecuadamente, se supone que se está suministrando el oxígeno adecuado al bebé desde la placenta. El monitoreo fetal identifica la relación entre los movimientos del bebé y las aceleraciones del ritmo de las pulsaciones. Una respuesta normal al movimiento del bebé debería producir un aceleramiento en las pulsaciones. Si el bebé se mueve al menos dos veces en 20 minutos, y el ritmo del corazón se acelera hasta 15 latidos en 15 segundos, el test corrobora que el bebé está bien. El ESE se hace semanalmente o cada dos semanas hacia las 34 semanas de embarazo y continúa hasta que el bebé nace.

Indicaciones comunes para el examen de esfuerzo y sin esfuerzo

- Diabetes (con necesidad de insulina)
- Preeclampsia (toxemia)
- Hipertensión crónica
- Enfermedad del Rh
- Muerte fetal previa
- Embarazo pasado de fecha (en más de 2 semanas)
- Cardiopatía
- Hipertiroidismo
- Retraso en el crecimiento intrauterino (RCIU)

Perfil biofísico

El perfil biofísico es una evaluación compleja de una combina- 139 ción de exámenes de bienestar fetal. El test sin esfuerzo evalúa el ritmo del corazón del feto y la reactividad. La ecografía es utilizada para observar y evaluar los movimientos fetales, las alteraciones respiratorias, el tono muscular del bebé y la cantidad de líquido amniótico presente. El perfil biofísico se ha convertido en un importante instrumento de evaluación para el médico, especialmente cuando se necesita información adicional para tomar decisiones importantes.

Test de estimulación acústica fetal (EAF)

El EAF también examina la reactividad del bebé. Un dispositivo vibratorio que produce un sonido de 80 decibeles se aplica al abdomen de la madre durante 3 segundos. El bebé sano se sobresalta con el sonido y la vibración acelerando el ritmo de su corazón. El test corrobora si el bebé puede acelerar su ritmo en 15 latidos por minuto por encima de su pulso en reposo, dos veces en 10 minutos por al menos 15 segundos.

Examen genético prenatal

Con amniocentesis y/o muestra de vello coriónico, un número siempre creciente de desórdenes genéticos puede ser detectado, incluyendo distrofia muscular de Duchenne, talasemia alfa y beta, hemofilia, anemia de células falciformes, fibrosis quística y enfermedad poliquística de riñón.

Una investigación prenatal de tu historia genética, adaptada y desarrollada por el ACOG, puede ayudarte a ti y a tu médico a determinar si corres peligro de alguno de los desórdenes enumerados (Ver Apéndice 3).

Amniocentesis o punción de líquido amniótico

La amniocentesis se hace retirando de 1/4 a 1/2 litro de líquido amniótico de uno de los receptáculos de líquido amniótico que rodean

al bebé en el útero. Una ecografía con la amniocentesis muestra al médico con precisión dónde están ubicados el bebé, la placenta, el cordón umbilical y los receptáculos de líquido.

El procedimiento es relativamente indoloro. La anestesia local adormece la piel antes de que el médico inserte la larga y fina aguja en el útero. La mayoría de las mujeres dicen que sólo sienten presión cuando entra la aguja, pero no dolor. El procedimiento se lleva a cabo en 10 o 15 minutos.

Puede sentirse un calambre intermitente después de la amniocentesis, pero generalmente desaparece en un par de horas. Ocasionalmente, una pequeña cantidad de líquido amniótico gotea desde la vagina. La pequeña abertura se cierra rápidamente, y nuevamente se produce líquido amniótico que reemplaza el líquido perdido sin dañar al bebé. Si el goteo continúa, llama a tu médico. Abstente del coito y del uso del bidé y tampones hasta que tu médico pueda evaluar el goteo.

La incidencia de complicaciones por amniocentesis es del 1% —extremadamente baja—. Los riesgos potenciales, tales como parto prematuro o punzar al bebé, cordón o placenta con la aguja, son más hipotéticos que reales, particularmente cuando se utiliza una guía de ultrasonido. La amniocentesis es ampliamente utilizada y se la considera una importante herramienta para ayudar al médico a tomar una apropiada y valiosa decisión obstétrica para ti y para tu bebé.

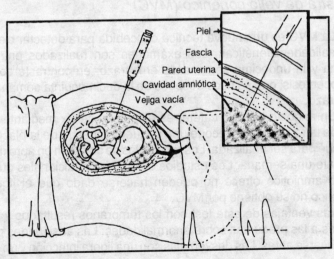

Piel
Fascia
Pared uterina
Cavidad amniótica
Vejiga vacía

141

Usos comunes de amniocentesis

Estudios genéticos y evaluaciones que indican enfermedades hereditarias como la enfermedad de Tay-Sachs o desórdenes de cromosomas como el síndrome de Down (mogolismo). El examen debe hacerse entre las 15 y 18 semanas cuando hay suficiente líquido amniótico para una muestra.

Supuestos defectos en el conducto neural: espina bífida (la médula espinal no cubierta) y acefalía (cabeza deformada con el cerebro expuesto). Ver el comentario "Suero fetoproteína alfa (FSA)" más adelante en este capítulo.

Madurez pulmonar fetal. Si tu fecha de parto es incierta o si hay amenaza de parto prematuro, un análisis de líquido amniótico puede determinar si debería hacerse un intento de detener el trabajo de parto.

Enfermedad del Rh. Incompatibilidad sanguínea. El test puede determinar la cantidad de bilirrubina (desintegración de glóbulos rojos) en el líquido amniótico. Altos porcentajes de bilirrubina podrían indicar que el bebé está seriamente anémico y necesita ser extraído del vientre de su madre.

Muestra de vello coriónico (MVC)

La MVC es una nueva técnica concebida para detectar ciertas anormalidades genéticas. Los exámenes son realizados entre la novena y la undécima semana de embarazo, en contraste con la amniocentesis, que se hace después de la decimoquinta semana de embarazo.

Un angosto tubito o catéter es dirigido al cérvix mediante una guía de ultrasonido. Se recoge una pequeña muestra de la placenta del bebé para ser analizada. Los resultados se obtienen en aproximadamente una semana. Los estudios bioquímicos adicionales que el líquido amniótico ofrece no pueden hacerse dado que el líquido amniótico no se obtiene por MVC.

Las ventajas de este test son los tempranos resultados y respuestas a las preguntas sobre anormalidades. Las ansiedades pueden aliviarse antes. Las desventajas son una ligera infección y un mayor porcentaje de pérdida del embarazo que en la amniocentesis. La MVC no es, en este momento, muy accesible; sólo unos pocos centros médicos ofrecen este servicio.

Suero fetoproteína alfa (FPA)

Este análisis de sangre materna hecho entre las 15 y 16 semanas de embarazo es usado para investigar defectos en el conducto neural, particularmente acefalía o espina bífida. Un alto nivel de FPA no confirma automáticamente acefalía o espina bífida, dado que una cantidad de condiciones puede producir la misma elevación. Los niveles de FPA más altos que lo normal pueden ser evaluados además con amniocentesis y ecografías para confirmar o descartar esas anormalidades.

En los Estados Unidos hay un creciente apoyo para ofrecer el examen de suero FPA a todas las mujeres embarazadas, como se ha hecho en Gran Bretaña.

Ultrasonido-Ecografía (UEG)

Antes del ultrasonido, los médicos tenían que trabajar mucho tiempo en la oscuridad en lo que al bebé concernía. La ecografía ha provisto una ventana iluminadora a la matriz, una forma de ver y examinar al bebé dentro del útero. Los órganos internos, placenta y cordón umbilical pueden ser vistos al mismo tiempo que los movimientos tales como el latido del corazón y el bebé chupándose el pulgar.

La UEG no es una

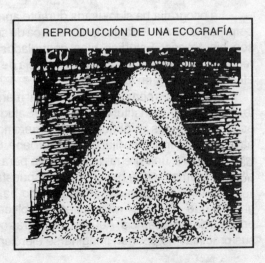

REPRODUCCIÓN DE UNA ECOGRAFÍA

143

prueba de rayos X. En cambio, opera de la manera como lo hace la sonda en un submarino. Pulsos cortos de ondas con sonido intermitente de baja intensidad son enviados desde el radar ubicado sobre tu abdomen. Las ondas de sonido producen "eco" desde el bebé. La señal eléctrica que retorna es convertida en un cuadro del bebé.

Cómo se hace la ecografía

Para tener un panorama no obstruido del contenido uterino que se obtiene mediante la ecografía, debes tener la vejiga llena. Tienes que beber varios vasos de agua antes del procedimiento. El examen se realiza mientras te acuestas en una camilla. Asegúrate de que el cabezal de la camilla esté levemente elevado para evitar la compresión de las arterias principales. Se coloca un gel lubricante sobre tu abdomen, y el médico o el técnico mueven un dispositivo sostenido con la mano (radar) sobre tu abdomen. El examen es indoloro y no requiere medicación. Sería ideal que pudieras ver los cuadros sobre la pantalla. Si tu marido y/o hijos están contigo, todos estarán emocionados de ver al bebé por primera vez. Incluso podrán llevar a casa una reproducción.

¿Es seguro?

La ecografía ha sido usada durante aproximadamente 30 años, pero los pacientes todavía dudan acerca de su seguridad. Los riesgos son hipotéticos. Estudios bien controlados por investigadores de reputación informan que no hay evidencia de que el ultrasonido tenga efectos adversos en los bebés.

Las mujeres comúnmente tienen al menos una ecografía durante el embarazo. El Instituto Nacional de Salud (de los Estados Unidos) especifica 27 usos aprobados de UEG pero no recomienda su uso rutinario para determinar o fijar el sexo del bebé. Si tu médico recomienda una ecografía, una pregunta razonable para hacer es por qué necesitas el examen y qué beneficios o respuestas te proporcionará.

En la última década, el ultrasonido ha tenido un impacto más grande que cualquier método en establecer un diagnóstico en la práctica de la obstetricia. Aquellos obstetras que utilizan ecografías en sus prácticas no podrían imaginarse ejerciendo sin ellas.

Usos del ultrasonido

Primer trimestre

Diagnostica embarazo. Es útil si tienes pérdidas de sangre. Ver el corazón de tu bebé es muy tranquilizador. Un embarazo tubárico también puede ser evaluado o descartado.

Fecha el embarazo. La ecografía es usada a menudo para determinar con precisión la fecha de parto. Si se realiza antes del segundo trimestre, puede tener un margen de error de una semana. Es una base para establecer si has tenido previamente un embarazo complicado por condiciones tales como una cesárea, muerte fetal, bebé pequeño, parto prematuro, mellizos, alta presión sanguínea, diabetes, enfermedad en los riñones o en el corazón. Si hay alguna pregunta en relación a cuándo parirás, una fecha de parto precisa hace la decisión indudablemente más fácil.

Segundo trimestre

Fecha el embarazo. Puede tener un margen de error de 1 a 2 semanas de tu fecha de parto cuando se hace en el segundo trimestre.

Investigación genética. Si estás en la categoría de alto riesgo, tienes una historia familiar de anomalías o más de 35 años, tu médico puede recomendar que se realicen estudios genéticos. La amniocentesis puede hacerla tu médico o puedes ser transferida al centro de alto riesgo regional más cercano. También puede hacerse la muestra de vello coriónico, usada en el primer trimestre.

Tercer trimestre

Mide el crecimiento fetal. Si se supone que tu bebé es pequeño o grande por las fechas de gestación, el patrón de crecimiento puede ser evaluado. El retraso en el crecimiento intrauterino (RCIU) se refiere al tamaño y desarrollo físico del bebé, no al desarrollo mental. Con el RCIU la placenta no es capaz de proveer una nutrición óptima; el bebé puede estar subalimentado crónicamente. Si se diagnostica RCIU, el bebé puede ser parido antes de fecha, si es necesario.

Determina la posición fetal. Si se diagnostica una presentación de nalgas u otra posición anormal, es tiempo de discutir y planear el mejor método de parir.

Guía para la amniocentesis. Es esencial usar la UEG como guía para minimizar los riesgos del procedimiento de la amniocentesis. El procedimiento de amniocentesis puede hacerse en el consultorio del médico o en el hospital bajo la guía del ultrasonido.

Imagen de resonancia magnética (IRM)

La IRM es una de las tecnologías más novedosas usadas en obstetricia. Es un reemplazo más seguro de los estudios de diagnóstico con rayos X y un auxiliar del UEG para proporcionar datos sobre la estructura fetal, desarrollo y crecimiento. La IRM confirma anomalías fetales y visualiza las estructuras abdominales o pélvicas maternas cuando la exploración ecográfica no es posible a causa de la obesidad o gases.

Tercera parte

La experiencia

15

Parto especial

Embarazo después de los 35. Las "florecedoras" tardías

En un pasado no tan distante, fisiológicamente hablando, el ideal obstétrico era una líder de hinchadas deportivas de 20 años. Todo fue cuesta abajo después de eso. El campo de la obstetricia tradicionalmente había estado muy atento a la edad y era muy conservador. Era irresponsable ser demasiado vieja o demasiado joven para el embarazo. Por ejemplo, las adolescentes eran automáticamente consideradas de alto riesgo, pero la edad no es el factor crítico. Cuando las adolescentes reciben una atención prenatal adecuada, no tienen más complicaciones que las que tienen otras mujeres embarazadas.

Treinta y algo

Los obstetras están reconsiderando otro mito en relación con la edad: el embarazo después de los 35. La anterior creencia pesimista de que en el embarazo "sólo te pones más vieja, no mejor" no es necesariamente cierta. No empieces por comprarte una silla de ruedas para llegar a la maternidad. Las novedades son realmente positivas.

Actitudes y resultados

Cuando te miras al espejo y ves un ejemplo perfecto de los 149 resultados de comer correctamente y hacer ejercicio, es difícil convencerte de que tu reloj biológico padece un endurecimiento de las arterias. Conserva esa idea cuando veas que se refieren a ti como "obstétricamente en la senectud" o una grávida "entrada en años". ¡Es suficiente para hacer que tu yogur se cuaje! Las actitudes cambian lentamente, *pero cambian*. Todas las "florecedoras" maternales tardías pueden tomar coraje. Actualmente hay más mujeres en el grupo de los 30 a 35 y más, que en el grupo de las de 20 a 29 años. La proporción de bebés nacidos de mujeres de 35 y mayores se duplicará hacia fin de siglo. Ya no eres una rareza obstétrica sino parte de una inmensa mayoría.

Si tienes entre 35 y 44 años y eres *sana*, he aquí lo que puedes anticipar basándote en estudios recientes. *No tienes un mayor riesgo* de:

- Parto antes de término
- Retraso en el crecimiento intrauterino
- Bebé con Índice de Apgar bajo
- Muerte infantil

Tus riesgos durante el embarazo *aumentan levemente* en:

- Diabetes de gestación
- Preeclampsia
- Pérdida de sangre durante el embarazo
- Abrupción placentaria (pérdida de sangre por una separación prematura de la placenta)
- Placenta previa (placenta de baja ubicación)

El parto por cesárea tiene una proporción más alta en la madre de 35 y mayor. No está muy claro por qué, pero debe de estar relacionado con una concepción obstétrica más conservadora y una incidencia levemente más alta de sufrimiento fetal en el trabajo de parto. Después de todo, esperaste a este bebé mucho tiempo, y los médicos estarán dispuestos a tirar la toalla antes si el trabajo de parto de la futura mamá madura no progresa.

150   Cada año, después de los 35, el riesgo de un bebé con síndrome

de Down (mogolismo) aumenta. El siguiente cuadro muestra el riesgo de síndrome de Down de acuerdo con la edad materna:

Edad materna en el parto	Frecuencia de síndrome de Down
35	1 en 365
36	1 en 287
37	1 en 225
38	1 en 176
39	1 en 139
40	1 en 109
41	1 en 85
42	1 en 67
43	1 en 53
44	1 en 41

Las mujeres de 35 tienen la opción de la amniocentesis para detectar el síndrome de Down.

Puedes haber esperado un tiempo para formar tu familia, pero los estudios informan que la madre madura parece más motivada cuando se trata de la experiencia del embarazo. Un estudio informó que las mamás de "treinta y algo" usaban menos medicación durante el trabajo de parto y tendían más a amamantar (95%), comparado con el 42% en grupos de otras edades.

La línea de fondo

Si no tienes problemas de salud —tales como alta presión sanguínea, diabetes, infección en los riñones o cardiopatía—, estudios exhaustivos y caros de tus diversos órganos y partes del cuerpo para ver si puedes soportar el estrés del embarazo son innecesarios. Como ya se ha dicho: "Si no está roto, no lo arregles".

La mujer sana de 35 a 44 *no es* de alto riesgo; no hay diferencias significativas en los resultados ni para la mamá ni para el bebé.

¿Cómo te sientes cuando todo está dicho y hecho? Una mamá, al ser entrevistada, definió la experiencia de la maternidad como "abrumadoramente provechosa". Ésa es una linda afirmación en sí misma.

Inducción del parto

Bebés con cita

La incapacidad de predecir y fijar convenientemente la fecha de parto hace de la práctica de la obstetricia un negocio relativamente ineficiente. Un analista de tiempo se volvería loco. Los médicos eventualmente abandonan bebés que nacen, no porque no les gusten sino porque el estrés y la falta de sueño se cobran su deuda. ¿De modo que por qué no inducir todos los partos rutinariamente por conveniencia? ¿Bebés con cita? La vida sería tan simple. Revisemos las opciones de parto inducido.

La famosa última palabra

Las mujeres naturalmente tienen una gran fe en sus médicos. Los médicos generalmente son almas optimistas. Desafortunadamente, el optimismo y el éxito no son sinónimos cuando se trata de inducir un parto. Muchos malentendidos han ocurrido y esperanzas se han frustrado por expectativas no realistas.

Si quieres garantizar una actuación de ansiedad para tu enfermera de parto, ingresa majestuosamente al trabajo de parto como una estrella de cine en una escena con tu séquito (35 parientes y 10 almohadas) y anuncia: "Mi médico me envió aquí para tener a mi bebé *hoy*". Las enfermeras tienden a ser más precavidas y de algún modo menos optimistas en estos asuntos que tú o el médico. No es divertido ser una aguafiestas, pero alguien tiene que serlo.

Ser o no ser

La inducción exitosa en un parto vaginal requiere un cérvix blando y flexible. Así como una fruta no es fácil de sacar del árbol hasta que está madura, los bebés no pueden "arrancarse" del vientre hasta que el cérvix esté maduro. Un cérvix maduro está blando, afinado (borrado) y parcialmente dilatado (abierto). Tratar de hacer que un cérvix inmaduro se dilate puede ser tan difícil como tratar de volar una caja de seguridad de un banco con un petardo.

Sacudir el árbol

Se considera que eres candidata a la inducción si tienes una indicación médica de riesgo para ti o el bebé. Las condiciones que justifican una inducción de parto incluyen:

- Retraso en el crecimiento intrauterino (RCIU)
- Preeclampsia (toxemia)
- Diabetes materna que requiere insulina
- Ruptura prolongada de membranas (bolsa rota) en término o cerca de él
- Enfermedad del Rh
- Embarazo prolongado (42 semanas o más)

En los Estados Unidos, la Administración Federal de Drogas (FDA) prohíbe las inducciones de parto por elección o conveniencia. En realidad, la inducción por elección se sigue realizando pero no tanto como antes de la prohibición.

El método más ampliamente usado para inducir el parto es la droga oxitocina, también llamada pitocina, administrada por vía intravenosa. La idea es duplicar el trabajo de parto *normal*. Dos cosas suceden durante las contracciones: el músculo uterino trabaja duramente y el bebé contiene su respiración por ser presionado por las contracciones. No querrás fatigar tu músculo uterino; quieres aplacarlo tal como lo harías para una maratón. El útero no necesita ser forzado al cansancio total con contracciones demasiado frecuentes. Tampoco el bebé necesita el estrés que implican episodios demasiado frecuentes de disminución de oxígeno.

Las contracciones deberían producirse con intervalos de 3 a 4 minutos, con una duración de alrededor de 40 a 60 segundos para un máximo de eficiencia y seguridad. Las contracciones con intervalos menores de 3 minutos son generalmente debilitadoras. La intensidad, y no simplemente la frecuencia de la contracción, dilata el cérvix.

153

Junto con la oxitocina intravenosa, tendrás un monitor fetal para evaluar la respuesta del bebé a la oxitocina. La oxitocina comienza administrándose con una dosis muy baja calculada en miliunidades por minuto (mU) y gradualmente aumentada cada 30 minutos. Los partos inducidos no son más dolorosos, si la dosis se mantiene debajo de las 16 mU por minuto; el 75% de mujeres tiene contracciones adecuadas con 8 mU y el 90% con 12 mU. Muy raramente se necesitan 20 mU. Habitualmente, si consigues dosis más altas, puedes olvidarlo, no va a funcionar porque tu útero es sobreestimulado por la droga y no trabajará adecuadamente.

Después de 8 a 10 horas de oxitocina, el útero puede cansarse. Un músculo uterino fatigado puede incrementar inicialmente su actividad cuando la dosis aumenta, pero se cansa pronto. La respuesta es similar a la del caballo de tiro exhausto: un latigazo lo persuadirá de dar todavía unos pocos pasos más antes de que el caballo sufra un colapso. No puedes hacer ningún progreso de esa manera. Como con el caballo, el único remedio para un útero exhausto es el reposo. La oxitocina se interrumpe y se recomienza en unas horas o al día siguiente, de acuerdo con las circunstancias.

Riesgos y complicaciones. Demasiado pronto

La complicación más común con la oxitocina es la sobreestimulación del útero. Algunas mujeres son tan sensibles a la droga que aun en cuestión de minutos sus úteros "vibran" en vez de contraerse. Las contracciones que ocurren con un intervalo menor de 2 minutos y/o duran más de 90 segundos se consideran hiperestimuladas. Esto puede dar como resultado sufrimiento fetal. (¡Trata de aguantar la respiración durante 2 minutos!)

Afortunadamente, la oxitocina desaparece en seguida. Una vez detenida, las contracciones comienzan a disminuir en una frecuencia de 3 minutos. La mayoría de los bebés se recuperan rápidamente del sufrimiento temporario producido por contracciones demasiado frecuentes. La intervención usual en caso de hiperestimulación es interrumpir la oxitocina, volverte sobre tu costado, y darte unos minutos de máscara de oxígeno para ayudar a que tu bebé recupere su equilibrio.

Quemar las naves

Romper la bolsa de agua (amniotomía) también se acostumbra para inducir el trabajo de parto. Obliga a "quemar las naves" para el alumbramiento. Por esta razón, generalmente no es recomendable cortar las membranas si el cérvix está inmaduro. Cuando es así, el tiempo hasta el parto puede estirarse significativamente, aumentando las posibilidades de infección y de cesárea. Sólo la oxitocina o la madre naturaleza harán madurar un cérvix, y no la ruptura de membranas.

Bajo ciertas circunstancias, la amniotomía hace un buen inicio de trabajo de parto:

- El cérvix está maduro
- No es el primer bebé
- La cabeza del bebé encaja cómodamente contra el cérvix

Cuando una inducción de parto es manejada con destreza por personal especialmente entrenado, los riesgos de un parto inducido son mínimos. Muchos hospitales ahora brindan entrenamiento y certificados para equipos que realizan inducciones. El entrenamiento agrega mejores medidas de seguridad y éxito al procedimiento.

Fórceps

Los partos por fórceps se hacen con menos frecuencia que en el pasado. El uso de fórceps se ha vuelto menos habitual con el creciente interés en el método natural de alumbramiento. Muchas mujeres rechazan anestesia local como la caudal, peridural y espinal. Las altas dosis de anestésicos usadas rutinariamente afectaban su capacidad de pujar. Actualmente, los médicos se inclinan más a dejar que la madre puje por más de las tradicionales dos horas. A su vez, las enfermeras se han adaptado a las diferentes posiciones para pujar en vez de la vieja rutina de acostarse estirada boca arriba. Ponerse en cuclillas o sentarse mientras se puja a menudo agrega ese pequeño espacio extra a la salida de la pelvis y permite que la gravedad ayude a pujar al bebé hacia abajo.

Los fórceps tienen un lugar en la obstetricia. Pueden ser muy útiles en el segundo estadio de un trabajo de parto cuando, por ejemplo, hay evidencia de sufrimiento fetal. A veces, después de un largo trabajo de parto, la madre está demasiado debilitada como para pujar y necesita una pequeña ayuda. Si la cabeza del bebé está bien abajo dentro de la pelvis, un parto con fórceps realizado apropiadamente no es peligroso para la madre ni para el bebé.

PARTO POR FÓRCEPS

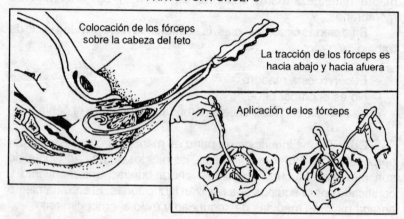

Colocación de los fórceps sobre la cabeza del feto

La tracción de los fórceps es hacia abajo y hacia afuera

Aplicación de los fórceps

Extractor de vacío

En ciertas instancias, una alternativa al fórceps es el extractor de vacío, usado en Europa durante años y actualmente con repercusión en los Estados Unidos. Una taza de silicona blanda se fija a la cabeza del bebé por succión. Una suave tracción se emplea para tirar de la cabeza del bebé. El cuero cabelludo del bebé se inflama en el sitio de la taza de succión, pero la inflamación desaparece dentro de las 24 horas.

Parto por cesárea

Tendencias y concepciones actuales

156   El primer parto por cesárea en Estados Unidos se realizó en

1827. El procedimiento no escandalizó al mundo de la medicina ni hizo rico y famoso al doctor. Hasta hace 25 años, el porcentaje de partos por cesárea permanecía en menos del 5%. Los cálculos actuales rondan el 20% en la mayoría de los hospitales. Es obvio que algo sucedió. Contrariamente a la creencia popular, no hay una correlación directa entre el porcentaje más alto de cesáreas y el número de Mercedes Benz vendidos a los obstetras.

El aumento en el porcentaje de cesáreas refleja en realidad algunos cambios importantes en obstetricia. La cirugía se ha vuelto muy eficaz y hay un creciente grado de preocupación por la seguridad del bebé. Los padres posponen la maternidad y tienen menos bebés. Existe también menor aceptación de resultados perfectos. Un factor positivo del creciente porcentaje de cesáreas es que el número de bebés que mueren o sufren daños por causas relacionadas con el alumbramiento ha decrecido.

Las indicaciones de parto por cesárea también han aumentado. Todo el mundo está de acuerdo en que el porcentaje es alto y que debería hacerse algo al respecto. Las siguientes propuestas se encuentran entre aquellas que están siendo examinadas para disminuir el porcentaje sin acrecentar la proporción de mortalidad perinatal.

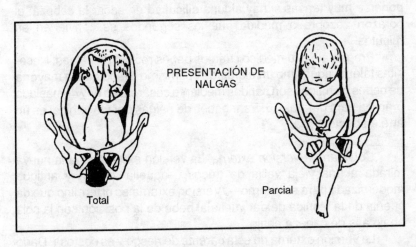

PRESENTACIÓN DE NALGAS

Total

Parcial

Cola abajo. El 3% de los bebés nacen de nalgas. Cuando son paridos por vía vaginal, los bebés de nalgas tienen una incidencia más

157

alta de complicaciones y problemas neurológicos —aquellos resultados imperfectos—. La mayoría de los médicos recomiendan que todos los primeros bebés, si están en posición de nalgas, sean paridos por cesárea. Las complicaciones y la mortalidad en parto vaginal son mayores en este grupo. Las mujeres que ya han tenido un bebé o más pueden correr un riesgo menor dado que al menos un bebé ha atravesado el canal de parto. No todos están de acuerdo con esta teoría.

Algunos médicos están dispuestos a atender un parto vaginal, pero la decisión debe ser tomada con mucho cuidado. Después de eliminar diversos factores de alto riesgo tales como doble ineptitud (un pie primero), bebé grande y pelvis pequeña, sólo un 20% de chicos puestos de nalgas son candidatos aceptables para un alumbramiento por vía vaginal. Un número tan pequeño no va a tener un gran impacto sobre el porcentaje de partos por cesárea.

Realizar un parto de nalgas requiere un gran cúmulo de experiencias, mucho talento y nervios de acero. Muchas cosas pueden salir mal. El parto puede obstaculizarse si los brazos del bebé están "trabados" sobre la cabeza. El cordón puede caer en la vagina si la cola del bebé calza en el cérvix. La cabeza debe sacarse en pocos minutos para prevenir un daño cerebral y/o sofocación. Las cosas pueden ponerse muy tensas si hay alguna dificultad en sacar la cabeza; el corazón zozobra a medida que los segundos se convierten en minutos.

Pregúntale a tu médico cuántos bebés recibió de nalgas. Necesitas talento aquí, y no un alarde de optimismo. Dado que la mayoría de bebés de nalgas son paridos mediante cesárea, no hay demasiada práctica para dar abasto. Parir bebés de nalgas por vía vaginal es un arte en decadencia.

Colas arriba-versión externa. La versión externa es una nueva mirada a una vieja valija de trucos —aquella valiosa y antigua modernizada para su retorno—. Versión externa es el término que da cuenta de la técnica de dar vuelta al bebé de la posición con la cola abajo a la de cabeza abajo.

La versión externa no está carente de riesgo y es costosa. Dado que la posibilidad de que el cordón umbilical se enrede y/o la placenta se separe de la pared uterina, el procedimiento se realiza en el hospital por seguridad. Se entiende que una cesárea de emergencia puede tener que realizarse por si hay sufrimiento fetal. La versión externa es cara porque necesitas una ecografía completa, monitoreo fetal, medicación por vía intravenosa para relajar el útero y al médico para realizar la manipulación.

No hay garantía de que el método funcione, pero es exitoso en un 75% de los casos. La probabilidad de éxito depende del talento del médico y de la existencia de circunstancias favorables. Averigua en tu seguro médico; es posible que pague la práctica.

Sufrimiento fetal. En los tiempos anteriores al monitoreo fetal electrónico, la partera escuchaba el ritmo del corazón del bebé cada hora durante 15 segundos. La técnica no brindaba información abundante. Como resultado, se hacían cesáreas por un sufrimiento fetal inexistente. Algunos bebés que estaban sufriendo eran ignorados porque un estetoscopio no podía recoger algunos indicios sutiles.

Nuestro conocimiento acerca del monitoreo fetal y de los patrones de ritmo cardíaco ha aumentado notablemente. Todavía falta mucho por aprender, pero muchas cesáreas se han evitado porque el patrón del ritmo cardíaco fetal era tranquilizador. En muchos casos, el monitoreo fetal permite al personal prevenir un desastre detectando signos de sufrimiento fetal.

El monitor fetal tiene muy poco impacto global sobre la proporción de partos por cesárea. El sufrimiento fetal sólo da cuenta de un pequeño porcentaje del incremento de esta práctica.

Las tres P: pasajero, pelvis y poder. Las tres causas comunes de parto por cesárea son la falta de contracciones lo suficientemente poderosas como para dilatar el cérvix, un bebé grande y una pelvis pequeña. Una o todas esas situaciones pueden trabajar en conjunto para bloquear el progreso del trabajo de parto.

La desproporción encefalopélvica (DEP) describe a un bebé que es demasiado grande para encajar en la pelvis de su mamá. El trabajo de parto que no progresa por una actividad uterina inadecuada o disfuncional se convierte en "falla en el progreso", lo que lleva al diagnóstico de DEP.

La real incidencia de la DEP es indudablemente mucho menor de lo que anteriormente se pensaba. Numerosos estudios han demostrado ahora que la mitad de las mujeres a quienes previamente se les ha hecho una cesárea por DEP y/o diagnosticado una falla en el progreso darán a luz por vía vaginal en un embarazo posterior si se les da la oportunidad de hacer un trabajo de parto.

La mayor razón para dejar de progresar en el trabajo de parto es una actividad uterina anormal. Las contracciones no dilatan efectivamente el cérvix. Cuando no estás progresando de acuerdo con lo programado, tus contracciones necesitan ser evaluadas. La forma más efectiva de medir la fuerza de las contracciones es con un catéter en el interior del útero. Si tus contracciones miden menos de 50 milímetros de mercurio (mmHg), tu útero necesita algún estímulo. La oxitocina, administrada por vía intravenosa, es la droga que se elige para reforzar las contracciones ineficientes de modo que puedas progresar y dar a luz al bebé. La mayoría de las madres preferirían no tener que recurrir a medios artificiales. Pero si no usas oxitocina, la única alternativa es el parto por cesárea. Ésta es una de las situaciones en las que debes ajustar tu plan de parto. Por las dudas, lee la sección "Inducción del parto" para familiarizarte con la oxitocina y con lo que puedes esperar. En la mayoría de los casos, necesitas sólo pequeñas dosis de oxitocina para estimular tu trabajo de parto.

Los expertos concuerdan en que muchas cesáreas podrían evitarse con una evaluación más minuciosa de casos de falla en el progreso y estimulando el trabajo de parto con oxitocina.

Parto vaginal después de cesárea (PVDC)

La repetición de cesárea es la culpable número uno en el dramático incremento de alumbramientos abdominales. Históricamente, aunque la razón original de la primera cesárea no tuviera posibilidades de volver a ocurrir, la creencia de que la cicatriz uterina se abriría durante el trabajo de parto era motivo suficiente para repetir la práctica de la cesárea.

Estudios esclarecedores han pulverizado algunas creencias largamente sostenidas. El viejo dicho "Una vez cesárea, siempre cesárea" ha sido revisado drásticamente. Parece que la DEP no siempre es lo que parece. La verdadera DEP es esporádica y el útero

160

es más duro de lo que todo el mundo piensa. He aquí una nueva ojeada a algunas viejas cicatrices.

Incisiones y decisiones

El tipo de incisión hecha en el útero determina la diferencia entre repetir una cesárea y dar a luz por vía vaginal la próxima vez. Los dos tipos de incisiones son la clásica y la transversal baja.

La *incisión uterina clásica es vertical* —arriba y abajo—. La cicatriz resultante de este tipo de incisión a menudo no es lo suficientemente fuerte como para resistir un trabajo de parto. En este punto no hay desacuerdo: automáticamente se repite la cesárea. La incisión clásica se usa cuando el bebé yace en posición transversal (hacia los costados) o si es prematuro.

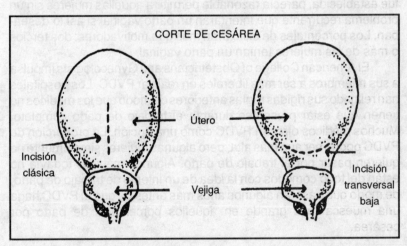

CORTE DE CESÁREA

Incisión clásica

Útero

Vejiga

Incisión transversal baja

La *incisión transversal baja* se ubica en el segmento inferior del útero. La incisión resiste muy bien el estrés de las contracciones uterinas. La probabilidad de que la cicatriz uterina se abra es de 0,5% —extremadamente baja.

Belleza y bikini

El título no se refiere al último traje de baño sino al empleo de un   161 tipo de incisión de *piel*. La mayoría de mujeres y doctores prefieren la incisión "bikini" por varias razones: es menos dolorosa, se recupera mejor, raramente produce hernias y deja abiertas las opciones de trajes de baño. El otro tipo de incisión va arriba y abajo desde el hueso púbico hasta justo debajo del ombligo. Los médicos usan excepcionalmente este tipo de incisión cuando la velocidad es importante (sufrimiento fetal, pérdida de sangre, etc.) o en el caso de bebés grandes.

Ten en cuenta que la incisión en tu piel puede ser diferente de tu incisión uterina. Pueden ser combinadas o parejas, de acuerdo con las circunstancias.

El dulce aroma del éxito

Una vez que la seguridad de la incisión transversal baja uterina fue establecida, parecía razonable permitir a aquellas mujeres sin un problema recurrente que intentaran un parto vaginal si así lo deseaban. Los porcentajes de éxito eran más que motivadores: dos tercios o más de las mujeres tenían un parto vaginal.

El American College of Obstetricians and Gynecologists impulsa a sus miembros a ser más liberales en realizar PVDC. Los hospitales han relajado sus rígidas reglas anteriores de modo que los médicos no tienen que estar presentes durante el trabajo de parto completo. Muchos médicos ofrecen PVDC como una opción. La proporción de PVDC podría ser aun más alta, pero algunas mujeres simplemente no quieren pasar por el trabajo de parto. Algunos médicos todavía no están del todo cómodos con la idea de un intento de trabajo de parto, de modo que pasarán algunos años más antes de que el PVDC haga una muesca más grande en aquellos porcentajes de parto por cesárea.

16

Trabajo de parto

Seguir adelante y esperar

Cómo te sientas con respecto a tu experiencia de parto dependerá en gran medida de tus expectativas y de cuán realistas son. Establecer logros imposibles para ti misma puede llevar a una decepción y a sentimientos negativos más adelante. Si eres del tipo de las que se ponen histéricas por una uña rota, no esperes que nadie te garantice un trabajo de parto indoloro sin anestesia peridural. Está bien tener expectativas; simplemente construyelas dentro de cierto margen de flexibilidad, de modo que puedas modificar tus planes cuando sea necesario, sin sentirte culpable.

Todos tenemos diferentes percepciones del dolor. No podrás evaluar de manera realista la tuya hasta que llegue el momento. Para algunos, la vieja bala de plata apretada entre los dientes, estilo Llanero Solitario, es suficiente. Para la mayoría, el trabajo de parto activo es el momento de sumergirse en aquella valija de *souvenirs* de apoyo que una adquirió en las clases de parto. Antes del trabajo de parto es tiempo de comenzar a preparar tu valija de primeros auxilios para el parto. Las palabras operativas para el trabajo de parto son *seguir adelante*, no *ser competente*. Si un método para seguir adelante no funciona, intenta otra cosa.

A continuación, hay algunos trucos que puedes aprender para ayudarte durante el trabajo de parto. Algunos los aprendes en las clases de parto y los otros son un inventario para que elijas. Usa aquellos que se adecuen a tu estilo.

Ir con la corriente. Relajación

El miedo y la tensión provocan dolor y bloquean tu capacidad de fluir con el proceso de parto. Las técnicas de educación para el parto pueden ayudarte a desarrollar una cooperación entre tu mente y tu cuerpo para esquivar la trampa del miedo y la tensión. Entrena y programa tu mente para un preparto y un proceso de dar a luz exitosos mediante la meditación y la visualización. Técnicas respiratorias, masajes y estimulación de los puntos de acupresión apuntan a la sintonía fina del cuerpo para aliviar el dolor y mantener la energía fluyendo. Tu mente y tu cuerpo aprenden a trabajar juntos y a desarrollar una camaradería que puede ser mutuamente beneficiosa para el resto de tu vida.

Revisemos los diversos métodos que puedes tener en cuenta al preparar tu bolso de viaje hacia el parto —además de las almohadas.

Todo está en tu mente

La mente es una herramienta magnífica que puede ser tanto una ayuda como un obstáculo. El miedo, que crea tensión, produce dolor y es una de las principales limitaciones en el trabajo de parto. Necesitas entrenar tu mente para el gran evento. Una actitud positiva y confiada es una valiosa clave para el éxito.

Como el subconsciente es muy parecido a una computadora, saca la misma información en respuesta a la antigua entrada hasta que es reprogramada para aceptar algo nuevo. Necesitamos revisar y volver a escribir cualquier programa que nos inhiba de obtener importantes logros. La visualización es una herramienta que mucha gente está descubriendo como una forma de llegar al subconsciente para reprogramarlo. La relajación, meditación y visualización abren la puerta a algunas experiencias pasadas subconscientes y desagradables, nos permiten aprender nuevas maneras positivas de experimentar —ya sea para mejorar el rendimiento en un partido de golf o para tener un bebé.

El primer paso para autoprogramarse es aprender técnicas de relajación con el fin de eliminar la tensión. El método de relajación progresiva incluye una respiración lenta y profunda y visualización. Comienza con la punta de tu cabeza y termina en las puntas de tus pies. Toma conciencia de la diferencia tensando y relajando alternativamente cada parte de tu cuerpo (ejercicio neuromuscular). Los videos son una excelente forma de aprender la técnica de relajación progresiva. Con el tiempo, tus nuevas técnicas te proporcionarán recursos para relajarte automáticamente. Junto con la respiración profunda, piensa en sensaciones relajantes como flotar en una nube o sentir el agua tibia fluyendo sobre ti —cualquier situación o sentimiento que te ayude a relajarte.

Una vez que puedas colocarte en un estado meditativo y relajado, puedes comenzar a programar tu subconsciente.

Imágenes guiadas

Cuando éramos chicos, sin esfuerzo soñábamos despiertos las fantasías más maravillosas. Cualquier cosa parecía posible; todavía lo es —a través de imágenes guiadas.

Un poco de práctica logra que la antigua creatividad vuelva. Puedes limpiar tu computadora mental de todos los datos emocionales viejos y obsoletos que te inhiben. Algunas personas lo llaman "auto-Gestáltica". He aquí cómo funciona.

Digamos que éste es tu segundo bebé. Tu experiencia de parto anterior no fue lo que se dice perfecta. Colócate en tu estado más relajado, sin dormirte, y suéñate despierta en aquella experiencia de parto pasada. Desde el principio al fin, fantasea exactamente qué quisiste que pasara y no sucedió. ¡Sé creativa, extravagante! Tu subconsciente no sabe la diferencia. Es tu programa. Tu subconsciente acepta las emociones que sientes *ahora*. Puedes reemplazar el miedo, el dolor, la decepción y el enojo por alegría, confianza y felicidad. Ahora, con este embarazo y parto tus emociones son positivas y dirigidas al éxito. Has removido los bloqueos por un resultado feliz, en vez de repetir el viejo programa de la experiencia anterior.

Practica tu escenario de sueño para este trabajo de parto. Las   165 expectativas positivas hacen maravillas. Obsérvate a ti misma mientras te relajas. Siente tu serenidad y confianza. Visualiza las energías en tu cuerpo libres y fluyendo. Observa tu útero funcionando eficientemente y en perfecto ritmo y armonía con tu cuerpo. Imagina a tu bebé disfrutando felizmente de aquellas caricias de adiós de tu útero. Mira a tu bebé que ayuda a dilatar el cérvix empujando hacia abajo y trabajando con las contracciones... ansioso de salir y a punto. Concéntrate en cada detalle. Practica tu relajación y visualización todos los días, si es posible.

Aprender a relajarse

Siéntate cómodamente en una silla, tus pies apoyados, la columna derecha, manos relajadas a los costados, palmas vueltas hacia arriba, o siéntate en la cama con la columna derecha y las rodillas dobladas, adaptando la posición. Usa almohadas para sostener tus rodillas, por comodidad. Un poco de música New Age puede ayudar a relajarte. Los sonidos de cascadas, pájaros y olas marinas se combinan con instrumentos como arpas y flautas.

Cuando estés cómoda, cierra los ojos y respira tres veces profundamente; inhala y exhala, lentamente. Comenzando por la punta de la cabeza, tensiona y relaja progresivamente cada parte de tu cuerpo. Concéntrate en la diferencia que sientes entre tensa y relajada. Utiliza el cuadro "Aprender a relajarte" como guía.

Usa la visualización como ayuda en la relajación. Imagina la relajación como una luz blanca de energía fluyendo a través de la punta de tu cabeza. A medida que la luz blanca avance hacia abajo, observa que la tensión sea expulsada de tu cuerpo a través de las puntas de los dedos de los pies, hasta que desaparezca.

La única diferencia en los tres niveles de relajación es la práctica. A medida que tomas conciencia de tu cuerpo y aprendes a relajarte, puedes acelerar el proceso hasta alcanzar el estado relajado.

APRENDER A RELAJARTE

Primer nivel

1. Respira lenta y profundamente tres veces. Al inhalar, haz una pausa de alrededor de 2 segundos antes de largar el aire. Respira natural y rítmicamente tomando aire por la nariz y expulsándolo por la boca con los labios ligeramente fruncidos. Imagina un globo que se infla y se desinfla en tu estómago.

2. Cierra los ojos apretadamente y frunce el entrecejo. Relaja los músculos tensionados.

3. Haz rechinar los dientes y luego relájate, dejando que tu lengua caiga del paladar.

4. Dobla el cuello hacia adelante, luego deja caer el mentón sobre el pecho.

5. Alza tus hombros y luego déjalos caer hacia adelante en una cómoda caída.

6. Aprieta tu mano derecha como si estuvieras agarrando una pelota y luego aflójala. Repite con tu mano izquierda.

7. Toma aire profundamente. Llena tus pulmones y aguanta la respiración por 2 o 3 segundos y luego exhala totalmente.

8. Tensa los músculos de tu estómago, apretando lo más posible, y después aflójalos.

9. Aprieta los músculos de tus glúteos y perineo (ejercicio de Kegel) y luego relájalos.

10. Tensiona los músculos de tu pierna derecha y luego relájalos. Repite con la pierna izquierda.

11. Flexiona tu pie derecho. Apunta con los extremos de los dedos hacia tu cuerpo y luego relájalos. Repite con el pie izquierdo.

12. Quédate con la sensación de tener todo tu cuerpo relajado.

167

Segundo nivel

1. Respira lenta y rítmicamente.
2. Tensiona los músculos de la cara y luego relájalos.
3. Tensiona el cuello y los hombros; relájalos.
4. Aprieta los puños y tensiona tus brazos, luego relájalos.
5. Tensiona tu abdomen y glúteos y luego relájalos.
6. Tensiona tus piernas y pies y luego relájalos.

Tercer nivel

1. Practica una respiración rítmica.
2. Relaja tu cara.
3. Relaja la parte superior del cuerpo.
4. Relaja la parte inferior del cuerpo.

Ejercicios de respiración

La respiración rítmica y la concentración pueden ayudar a la relajación. Todo el mundo tiene una velocidad respiratoria cómoda. Cuando sintonizas tus propios ritmos respiratorios, ayudas a evitar la hiperventilación. La ansiedad precede a la hiperventilación y no a la inversa. Con la hiperventilación, tus dedos y tu cara sienten entumecimiento y hormigueo, y tú te sientes corta de aliento. Es muy molesto y perturbador, especialmente durante el trabajo de parto. Se solía pensar que volver a respirar tu aire de una bolsa de papel podía revertir las consecuencias de la hiperventilación, pero nuevos estudios demuestran que eso sólo empeora las cosas. La mejor intervención para la hiperventilación es detener el ataque de ansiedad y aplacar la respiración.

Concentrarte en enfocar un punto te proporcionará distracción durante las contracciones, para alterar tu percepción del dolor. Tu punto focal puede ser externo, si prefieres mantener abiertos los ojos. Ubica un objeto o cuadro en el nivel de los ojos para permanecer en una posición cómoda. Si prefieres mantener los ojos cerrados, enfoca con el ojo de tu mente tu visión favorita de relajación. Puede ser un lugar, como una montaña o un lago tranquilo. Podrías estar en un bosque o de pie debajo de una cascada tibia. Imagina una cascada de agua tibia cayendo sobre ti, relajando todo tu cuerpo.

Los instructores de parto enseñan tres tipos de técnicas de relajación. No hay tiempos específicos para usar cada técnica durante el trabajo de parto.

Es mejor no comenzar usando los ejercicios de respiración hasta que tus contracciones demanden definitivamente tu atención a medida que se vuelven regulares e intensas. Si comienzas los ejercicios demasiado temprano en el trabajo de parto, te fatigarás. Prueba los ejercicios en diversos estadios para ver cuál de los tres funciona mejor en ese momento. Puedes ir de atrás hacia adelante y viceversa, pero vuelve al ejercicio 1 lo más rápido que puedas. Algunas mujeres prefieren usar una inhalación profunda y una exhalación completa (cambiar el aire) para indicar el comienzo y el fin de las contracciones.

1-Respiración de ritmo lento

Este ejercicio es el más relajante y ayuda a evitar la hiperventilación. La respiración de ritmo lento es la que usas durante tus ejercicios de relajación. La velocidad es de generalmente la mitad del ritmo normal de tu respiración. Usa tus músculos pectorales y abdominales con esta técnica, que es menos cansadora que las otras técnicas y promueve la calma, el estado relajado que deseas.

169

2-Ritmo respiratorio modificado

Con esta técnica, duplicas la velocidad de tu ritmo respiratorio normal. Puedes probarla cuando tus contracciones se vuelven más intensas. El peligro con este ejercicio es que puede llevar a la hiperventilación si no tienes cuidado. Cuando la contracción pasa, vuelve al ejercicio 1.

3-Respiración pautada (jadeos)

Este tipo de respiración tiene la misma velocidad que la del ejercicio 2, pero combina un patrón de inhalación y exhalación con un lento soplido. Cuando exhalas, imagina que estás soplando una vela. La técnica del jadeo puede ser útil para evitar pujar; la inhalación en esta técnica es breve. Si respiras profundamente, tendrás una incontrolable urgencia de pujar. Concentrándote en el soplido, puedes abstenerte de respirar profundamente, que es lo que provoca tu deseo de pujar.

Toque terapéutico

El enfoque holístico como cura está ganando cada vez más adeptos. La filosofía oriental cree en la relación de la mente y el cuerpo, donde todo es una parte interrelacionada de un "entero" —cada parte afecta a la otra—. En contraste, la filosofía occidental cree que todo está separado y se distingue —la vieja rutina de "parte por parte".

El toque terapéutico es un método de curación holística enseñado por Dolores Grieger, profesora de enfermería en la Universidad de New York. Sus alumnos han empleado la técnica eficazmente para relajar pacientes antes de eventos estresantes, tales como cirugía, y para aliviar el dolor en el cáncer. El alivio del dolor puede ser provocado por una profunda relajación que se produce con el tratamiento. Cualquiera que sea la razón, los resultados hacen del toque terapéutico una herramienta valiosa —y la técnica no cuesta nada.

Los promotores de la técnica son entusiastas. Unas pocas parteras, enfermeras y educadores de parto pioneros ponen "manos a la obra" para aliviar la pena en el alumbramiento. Cualquiera puede

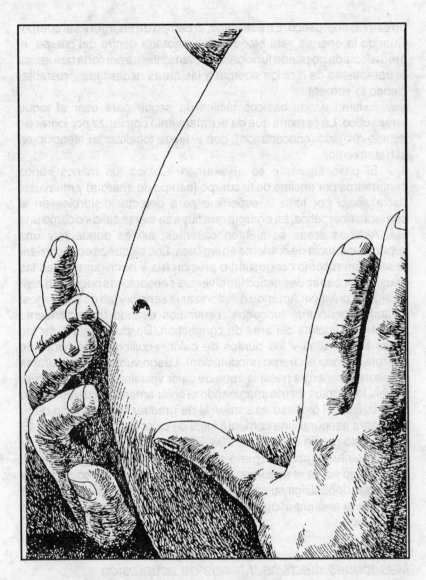

aprender la técnica. Ésta es otra herramienta auxiliar para que el "tutor" agregue en su valija de bálsamos.

La teoría del toque terapéutico se relaciona con el fluir dentro de un campo energético. En este caso, el campo de energía es el cuerpo. Cuando la energía está bloqueada o agotada dentro del cuerpo, el área afectada no puede funcionar eficazmente. La persona que aplica el tratamiento da o dirige energía a las áreas necesitadas, restableciendo la corriente.

Existen pasos básicos fáciles de seguir para usar el toque terapéutico. La persona que da el tratamiento comienza por lograr un estado relajado (concentrado), con el fin de focalizar su atención en el tratamiento.

El paso siguiente es el examen. Coloca tus manos varios centímetros por encima de tu cuerpo (campo de energía) y muévelas hacia abajo por toda la superficie para detectar disturbios en la corriente energética. La energía que fluye se siente cálida o como una ola. Algunas áreas se sienten calientes; allí es donde hay una superabundancia de corriente energética. Los bloqueos en la corriente se sienten como congestión o presión fría y hormigueante en las manos. Ser capaz de percibir las diversas sensaciones puede requerir de alguna práctica. Aprende a sintonizar la sensibilidad de tus manos. Cuando encuentres bloqueos, elimínalos usando un movimiento circular por encima del área de congestión. Después de aclarar las áreas bloqueadas y los puntos de calor, equilibra la corriente de energía en todo el cuerpo (modulación). Luego vuelve a configurar la corriente de energía hacia la zona de calor visualizando un color frío. Entibia los puntos de frío imaginando el color amarillo o cualquier otro color cálido. El proceso es similar al de graduar la ventilación de tu casa para asegurar una corriente igual de calor a todas tus partes. El tratamiento puede durar entre 20 y 25 minutos.

Durante el trabajo de parto, pasar la mano suave y rítmicamente hacia abajo sobre el abdomen induce la relajación y le recuerda a la mujer que debe dirigir su energía a la zona inferior del cuerpo. Facilita el fluir de la energía aflojando el abdomen antes y después de cada contracción.

Más toques efectivos. Masaje de acupresión

Durante siglos, los orientales han practicado el arte de la terapia zonal, llamada acupresión o reflexología. Ellos creen que los desequilibrios en el cuerpo causan bloqueos en la corriente natural de energía al ser llevados a través del sistema nervioso. Las áreas bloqueadas no pueden funcionar apropiadamente sin la corriente; como resultado se produce tensión y dolor. Se restablece la corriente de energía con masajes de presión sobre puntos específicos, o meridianos, sobre el cuerpo, para aliviar la tensión y el dolor. Si decides utilizar técnicas de acupresión, practícalas los últimos dos meses antes del parto y en forma intensiva la última semana.

El toque terapéutico y la acupresión no son técnicas principales. Son interesantes complementos de otras técnicas que es posible que quieras usar.

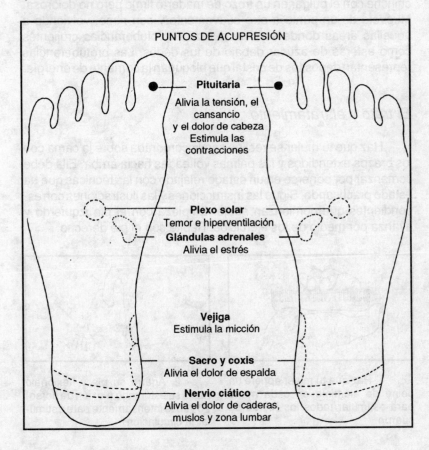

PUNTOS DE ACUPRESIÓN

Pituitaria
Alivia la tensión, el cansancio
y el dolor de cabeza
Estimula las contracciones

Plexo solar
Temor e hiperventilación
Glándulas adrenales
Alivia el estrés

Vejiga
Estimula la micción

Sacro y coxis
Alivia el dolor de espalda

Nervio ciático
Alivia el dolor de caderas,
muslos y zona lumbar

Entrenando por dos. Instrucciones para el tutor

No lleva mucho tiempo aprender a sentirse cómoda con las técnicas de acupresión. ¿Quién puede resistirse a que le masajeen los pies? Después de todo el trabajo duro, puedes hacer que tu mujer cambie de rol y te lo haga a ti. Ambos amarán la sensación relajada que tendrán después de una sesión.

Se familiarizarán con la corriente de energía entre ambos experimentando los diversos puntos de acupresura (PA). Estimular los diversos PA combina una presión firme con un masaje punzante. La intensidad de presión que empleas es similar a empujar una chinche con el pulgar en un trozo de madera: firme pero no dolorosa. Muévete de un punto a otro suavemente y con ritmo, volviendo a aquellas áreas donde sentiste dureza o protuberancias crujientes como esferas de azúcar debajo de tus dedos. Las protuberancias representan depósitos de cristal que bloquean la corriente de energía.

El trato y el tratamiento

Haz que tu mujer se recline semiincorporada sobre la cama con los brazos extendidos y las palmas volteadas hacia arriba. Ella debe comenzar por ponerse en un estado relajado con las técnicas que ha estado practicando. Sigue las instrucciones y las ilustraciones correspondientes que comienzan abajo. Empieza con el pie izquierdo y avanza por medio de los ejercicios. Repite con el pie derecho.

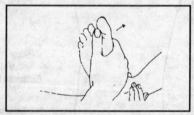

1. Haz que tu mujer apriete un peine de aluminio en cada mano para estimular todos los PA de su cuerpo.

2. Agarra su pie y flexiónalo hacia su estómago (flexión de dorso) 20 veces intensamente para estimular la circulación.

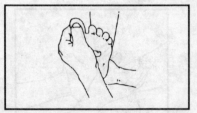

3. Masajea la punta del pie completa para aliviar la tensión y el cansancio.

4. Masajea la parte interna de la punta del pie (pituitaria), puede estimular el útero durante el trabajo de parto.

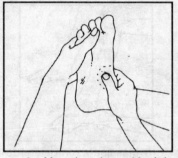

6. Masajea las glándulas adrenales para aliviar el estrés.

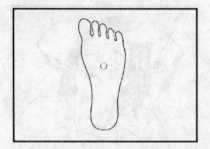

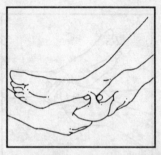

5. Toma ambos pies con tus pulgares presionando la región del plexo solar. Puedes sentir un hormigueo en tus manos. Agrega esto a la respiración purificadora hacia el fin de las contracciones.

7. Practica esta técnica para estimular la micción: puede ser hecha cada hora durante el trabajo de parto para estimular el vaciado de la vejiga.

8. Masajea la parte interna de la zona más baja del tobillo para aliviar el dolor y ayudar al útero a funcionar eficazmente. Suaviza todas las protuberancias que sientas. Este ejercicio es importante para el trabajo de parto; hazlo con la mayor frecuencia posible.

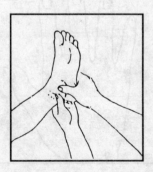

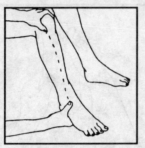

9. Masajea la zona lateral de la pierna, desde la rodilla hacia abajo, para estimular su circulación.

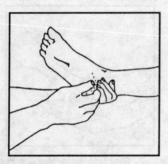

10. Masajea el talón para aliviar el nervio ciático y el dolor de caderas, que es común durante el trabajo de parto.

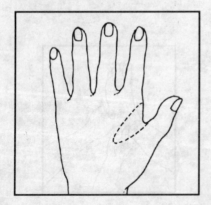

11. Promueve la relajación colocando su talón entre las palmas de tus manos y frotando vigorosamente hacia atrás y adelante.

12. Para obtener un efecto realmente calmante, coloca tu dedo índice sobre su frente con tu dedo mayor en el hueco de su garganta. Esto puede ayudar si ella comienza a perder el control durante el trabajo de parto. Con la práctica, ella puede condicionarse a pensar con calma cuando haces esto.

13. Para controlar las náuseas durante el trabajo de parto, masajea el lado superior de su mano entre el pulgar y el dedo índice. Ten este ejercicio en mente para el estadio de transición del trabajo de parto.

Si realmente te internas en las técnicas de acupresión y quieres algún tipo de información, consulta a un reflexólogo, quien estará feliz de darte algunas indicaciones extra. Los reflexólogos sugieren de dos a cuatro tratamientos con un profesional, antes del trabajo de parto, para reforzar tus tratamientos caseros. Generalmente el costo es relativamente económico.

La luna llena y otros mitos

Cuando llegas al punto en que estás cansada de estar embarazada, puedes volverte un poco loca. Comienzas a buscar buenos presagios, como una luna llena, para cifrar tus esperanzas en eso. Los análisis científicos no han encontrado que la fase lunar tenga ninguna vinculación con los partos. Lo siento.

Muchos trabajos de parto tienden a comenzar durante las horas nocturnas, pero los partos reales se dividen equitativamente entre días y noches.

Tu madre quizá te ofrezca una dosis terapéutica de aceite de ricino para ayudarte a comenzar el trabajo de parto. Dile que no; todo lo que obtendrás son espasmos intestinales y diarrea. Desviará temporalmente tus pensamientos del hecho de estar embarazada, pero no te ayudará en el trabajo de parto.

Si han pasado siete años o más desde que tuviste tu último bebé, es posible que te hayan dicho que tu trabajo de parto será como el primero. Al respecto no hay alegres novedades. Afortunadamente, la vieja creencia no ha sido desterrada. Generalmente, puedes planear recibir un reconocimiento por tu desempeño previo —con la esperanza de un trabajo de parto más corto que la primera vez.

Muchas mujeres se preocupan cuando rompen bolsa antes de que comience el trabajo de parto. Habrás oído todos esos cuentos acerca del "parto seco". No hay de qué preocuparse, no existe tal cosa. El trabajo de parto generalmente comienza después de algunas horas, y tú fabricas nuevo líquido amniótico todo el tiempo.

El ego y el yo. Mente y materia

El trabajo de parto y el parto producen un estrés tanto psicológico como físico. En las últimas semanas de embarazo, la irrevocabilidad del evento inminente del trabajo de parto expulsa las preocupaciones cotidianas. Te verás cada vez más preocupada por pensamientos acerca del trabajo de parto y bebés. No te alarmes si sufres de sueños en los cuales das a luz muñecas en vez de a un bebé o tienes un bebé pero de alguna manera parece haber sido reemplazado. La mayoría de las mujeres embarazadas tienen muchos sueños extraños en las últimas semanas. Tu preocupación se centrará en lo inevitable del parto, lo desconocido y el temor de perder el control durante el embarazo. Es una idea muy tranquilizadora pensar que tu útero tiene una mente propia y que está bajo control, y tú no. Están juntos en este viaje. Te descubres esperando que tu útero sepa lo que está haciendo y pueda hacerlo bien.

Signos y síntomas de trabajo de parto

Ya sea que tengas a tu quinto bebé o al primero, determinar si estás en el trabajo de parto puede ser confuso. Hay sólo dos signos reales de trabajo de parto:

1. Contracciones fuertes y regulares que duran entre 40 y 60 segundos.
2. Dilatación del cuello del útero (el cérvix se abre para dejar que el bebé pase a través de él). La dilatación se mide en centímetros, de 1 a 10.

Contracciones

El único signo que *tú* puedes usar realmente para evaluar tu trabajo de parto es la regularidad de las contracciones. Cuando llegas al hospital, el médico o la enfermera confirmarán tu "diagnóstico" examinando tu vagina para ver si tu cérvix se está dilatando. ¿Éste es el evento *real*? Para decidir, busca tres características en tus contracciones. Éstas son exactamente las preguntas que te hará tu médico cuando lo llames:

1. ¿Con qué intervalo se producen?

2. ¿Son muy fuertes?
3. ¿Cuánto duran?

¿Con qué intervalo? Mide el tiempo entre tus contracciones desde el comienzo de una hasta el comienzo de la siguiente. Tus contracciones comienzan cuando sientes que tu abdomen se tensa, no cuando sientes que el dolor empieza en tu espalda.

¿Con qué fuerza? La tolerancia al dolor es diferente para cada persona. Algunas se ponen histéricas por una uña que se rompe, mientras que otras pueden sonreír si se les caen las uñas de raíz. Calibrar tus contracciones por el grado de molestia que sientes puede no ser confiable. Para determinar la fuerza de tus contracciones, lo cual significa cuán duramente está trabajando tu útero, sigue las siguientes pautas simples:

1. Coloca tu mano en la parte superior de tu abdomen, que es donde se contrae tu útero, aunque tengas la sensación en la parte inferior de tu abdomen.
2. Con las puntas de tus dedos, presiona tu abdomen para sentir cuán firme está.

Contracciones leves. Estas contracciones son ligeramente molestas. Es probable que no sean como las contracciones falsas que seguramente experimentaste durante tu embarazo. Una manera fácil de medir su fuerza es poner una mano sobre tu abdomen y la otra en la punta de tu nariz, para comparar la resistencia. Una contracción leve se siente de manera parecida a la punta de tu nariz. Hay algo ahí, pero todavía puedes empujar para adentro.

Contracciones moderadas. Estas contracciones hacen que frunzas el entrecejo y prestes atención, pero no son demasiado malas. Cuando chequeas tu abdomen para averiguar la resistencia, se siente más como tu mentón que como tu nariz. Se siente un poco más firme, pero no tanto.

Contracciones fuertes. Estas contracciones te hacen retorcerte, a menos que seas de las que aguantan la caída de las uñas de raíz. 179

Definitivamente, tienes que dejar lo que estás haciendo hasta que paren. Se sienten tan firmes como tu frente, exactamente como una roca. No puedes empujar hacia adentro tu abdomen de ninguna manera.

¿Cuánto duran? Para determinar cuánto duran tus contracciones, comienza a contar los segundos cuando sientes que tu abdomen se está tensando, y no cuando comienzas a sentir una molestia en tu espalda. Para de contar cuando tu abdomen comience a relajarse, no cuando la contracción haya desaparecido por completo. Los errores en la medición del tiempo son comunes. Quieres contar solamente la cantidad de segundos durante los cuales la cabeza del bebé está siendo empujada contra el cérvix y tratando de dilatarlo. El dolor de espalda no cuenta porque la contracción todavía no comenzó a funcionar. Cuando el útero empieza a relajarse, la presión de la cabeza del bebé también se relaja. La contracción ya no está trabajando más. Incluso las contracciones más largas y más fuertes duran generalmente sólo 60 segundos.

Signos populares —y menos confiables— de trabajo de parto

Los siguientes signos de trabajo de parto en puerta son altamente variables y poco confiables. Sólo uno, la ruptura de membranas, requiere una llamada al médico.

Aparición de sangre

Un ligero flujo sanguinolento no es en absoluto un indicio confiable de trabajo de parto. Los pequeños vasos sanguíneos en el cuello del útero se vuelven muy frágiles a medida que tu embarazo avanza. Algunas causas comunes de aparición de sangre son:

1. *Examen vaginal.* Puedes esperar un flujo sanguinolento cada vez que tu médico examina tu cérvix. El flujo puede durar incluso varios días, variando de rosa brillante a marrón oscuro. No te preocupes.

2. El *coito* puede provocar lo mismo en tu cérvix que el examen vaginal.

3. A medida que tu cérvix se adelgaza y "madura" durante las últimas semanas de embarazo, algunos de los pequeños y frágiles vasos dentro del cuello del útero se rompen y producen el *mucus teñido de sangre* que encuentras en tu ropa interior.

Es común confundir la aparición de sangre con una verdadera pérdida de sangre, que es una emergencia obstétrica. La verdadera pérdida es de rojo brillante. Si brota, corre por tu pierna e inunda tu zapato, es una pérdida de sangre. Si tienes algún tipo de duda, llama a tu médico. Prepárate para describir el color y calcula la cantidad que perdiste en cucharaditas de té, o tazas. Si estás usando una toalla higiénica, ¿se desborda?

Tapón mucoso

Puedes perder tu tapón mucoso varias semanas antes de que comience tu trabajo de parto. Es un indicador absolutamente inservible. Olvida incluso que has tenido uno.

La bolsa se rompe. Rotura de membranas

Generalmente, cuando rompes bolsa, se trate de un chorro o un goteo, tus contracciones no están muy lejos. Si no estás teniendo contracciones pero estás perdiendo un líquido acuoso, llama a tu médico. El líquido amniótico tiene un olor muy particular y una nariz sensible puede distinguirlo de la orina.

Una vez que la membrana que rodea a tu bebé se rompe, la barrera contra la infección se ha ido. Una práctica regular es hacerte ir al hospital para esperar el trabajo de parto. Si estás en término, lo ideal es verte en el preparto antes de un lapso de 24 horas, lo cual tiende a reducir las probabilidades de una infección. *Recuerda*: Una vez que rompes bolsa, no absoluto al coito, baños de inmersión o bidé.

Qué comer

Una vez que creas que estás en trabajo de parto, *no comas*.

Durante el trabajo de parto tu estómago se toma mucho más tiempo para digerir los alimentos. Cuanto más pesados los alimentos, mayor tu chance de vomitar durante la fase de transición con 8 centímetros de dilatación.

Toma sopas livianas (caldo de pollo), galletas, jaleas, jugo de manzana, soda y té liviano. Vas a tener que trabajar duro. Necesitas reemplazar los líquidos y la energía que gastas durante el trabajo de parto. La deshidratación puede impedir que tu útero trabaje con eficiencia y hacer que tú te sientas aun más fatigada. Después del parto, puedes darte el gusto desvergonzadamente con cualquier clase de alimento que conciba tu imaginación: te lo has ganado.

El calentamiento: preparto

Hay tres estadios en el trabajo de parto. El comienzo de la primera fase del primer estadio se llama pretrabajo de parto, fase prodrómica o latente. Es el calentamiento para el evento real, llamado trabajo de parto activo. Las contracciones generalmente comienzan varias semanas antes de que llegues al punto en que te das cuenta de que algo está pasando ahí. Éste es el trabajo de parto "falso" del que habla la gente. Puedes tener contracciones irregularmente por unas horas, en algún momento durante varios días, pero luego desaparecen. Esta vez no. Las contracciones son de leves a moderadas. El cuello del útero continúa afinándose, acortándose, ablandándose y moviéndose a una posición más adelantada. Para las primerizas, la dilatación del cuello del útero todavía estará en menos de 3 centíme-

El cérvix se acorta, se afina y se dilata.

182

tros. Las multíparas pueden llegar a tener una dilatación de 2 o 3 cm sin contracciones. Las multíparas completan la fase latente en un promedio de menos de 14 horas, las primerizas, en no menos de 20 horas.

Durante la fase latente, la tendencia es a agitarse mucho porque estás al borde de un gran evento. Trata de contenerte. En este punto, lo mejor es comportarse de la manera habitual. No te adelantes todavía en sacar el arma para alertar a todas tus tropas de apoyo. Ten conciencia de tus contracciones, pero no te obsesiones con ellas. Mantén un equilibrio entre actividad y descanso. Éste es tiempo de leer, meditar y visualizar tu cérvix que madura y se prepara. Alterna entre caminar y sentarte. *Calma, centrada* y *paciente* son tus palabras operativas. Come liviano y toma líquidos para no deshidratarte.

A veces la fase latente dura más que lo normal y te encuentras exhausta, desanimada y te sientes un fiasco. Un leve pánico sobreviene. A medida que pasan las horas, te pones más ansiosa. Tu cérvix simplemente se niega al "ábrete sésamo". ¿Qué pasa?

Diversos factores establecen un círculo vicioso que sabotea tu progreso. La ansiedad produce dos hormonas cuyos efectos sobre las contracciones se oponen uno al otro. Una hormona estimula el útero; la otra lo inhibe. El resultado son contracciones frecuentes pero mediocres, a pesar de que no se sienten así para ti. El agotamiento da por tierra con tus mecanismos para seguir adelante. Si sobreviene una deshidratación, eso también disminuye las contracciones. ¿Qué haces tú frente a una fase latente prolongada? Como regla general, no es tiempo de ponerse agresivos rompiendo tu bolsa o de administrarte oxitocina para estimular el trabajo de parto. Una amniotomía antes de los 4 cm de dilatación incluso puede alargar esta fase. No todos los médicos concuerdan con respecto al mejor enfoque. Sólo es obvio que, si estás exhausta, tú y tu útero necesitan descanso. Un método que funciona es administrarte demerol o morfina para aplacar tu ansiedad, de modo de espaciar tus contracciones. Puedes descansar y tal vez incluso dormir por un rato. Aunque tú duermas, tu útero no lo hace. El demerol estimula el útero para que trabaje con más eficiencia. No es inusual que te despiertes y descubras que estás en pleno trabajo de parto. Con unas pocas horas de descanso o sueño necesario, estás lista para finalmente tener ese bebé.

Éste es el hecho real. El día D

¡Aquí está! Probablemente estés excitada, ansiosa de terminar con todo esto y preguntándote si realmente quieres pasar por esto después de todo. Si has tenido clases de preparación de parto, podrías sentir como si el examen final estuviera ahí. Repasas mentalmente todos esos ejercicios que desearías haber practicado con más diligencia. Tienes ansiedad de realización.

Qué esperar

Si éste es tu primer bebé, las enfermeras se referirán a ti como a una primeriza. A partir del segundo bebé, eres una multípara. Durante el trabajo de parto, hay un montón de "generalidades", pero no garantías. Por ejemplo, las multíparas habitualmente tienen trabajos de parto más cortos que las primerizas. Las diferentes fases y estadios del trabajo de parto avanzan a un paso más veloz para las multíparas. La madre naturaleza te da puntos por experiencia.

Tu progreso se compara con los promedios. Una multípara generalmente presenta un progreso cervical de 1,5 cm por hora, mientras que para una primeriza es de 1,2 cm por hora, una vez que está en la fase activa. Los promedios son una manera de alertar a aquellos a cargo de tu atención si te has "retirado" de la curva normal y si tu falta de progreso necesita una evaluación adicional. Generalmente todo avanza según lo establecido, con ligeras variaciones. Ten en cuenta que cada persona y cada trabajo de parto son diferentes. Si eres extremadamente compulsiva e intentas asegurarte de que tu trabajo de parto encaje con el cuadro del libro de texto de "trabajo de parto normal", podrías volverte loca —y a todos los que te rodean. La palabra clave es "progreso". Sé optimista y déjate llevar por la corriente mientras estás progresando, ya sea rápida o lentamente. Practica lo que los psicólogos conductistas llaman una "expectativa positiva". Si crees que lo harás bien, lo harás.

Rutinas y rituales

Los ritos tribales y culturales han sido parte importante del proceso de dar a luz desde que el mundo es mundo. La mujer en trabajo de parto ha sido sujeta a una multitud de prácticas bizarras y ocasionalmente (para los demás) cómicas.

Preparativos y enemas. En los días de fiebre puerperal de comienzos del 1900, la admisión rutinaria para la futura madre era como un remanente de la Inquisición española.

- Las mujeres eran despojadas de sus pertenencias personales.
- Las cabezas eran limpiadas con querosene, éter o amoníaco.
- A las pacientes de instituciones de beneficencia se les afeitaba la cabeza. A las ricas se les cortaba el cabello.
- Se les daban duchas vaginales de bicloruro de mercurio durante el trabajo de parto y después de él.

Como si esto fuera poco, las enfermeras tenían que bañarse regularmente y cambiar sus uniformes a cada rato.

Has recorrido un largo camino. Hacia los 60, las cosas habían mejorado muy lentamente. Los preparativos y enemas todavía eran rutina. Se afeitaba a todo el mundo hasta quedar más pelada que una bola de billar. La enema 3H alto, caliente y en cantidades infernales era el ritual sagrado. Se suponía que tenía poderes mágicos para acelerar el trabajo de parto.

En realidad era un mal negocio: producía espasmos intestinales que acompañaban los espasmos uterinos. Pero no aceleraba el trabajo de parto.

En los 70, la gente comenzó a cuestionarse la necesidad de los preparativos y enemas de rutina. Parecía que después de todo afeitarse no prevenía la infección. Las enemas se redujeron en escala a una gota, comparado con la costumbre anterior. Los estudios probaron que la contaminación fecal era bastante común, a pesar de las enemas. No se producía ninguna diferencia, de todos modos.

Han pasado ochenta años y las cosas están mejorando. Algunos médicos todavía ordenan preparativos y enemas, pero cada año son menos los médicos que lo hacen. Las mujeres recuerdan la enema como la peor experiencia en el trabajo de parto. Si no quieres una enema, y tu médico lo olvidó y ordenó una, enuncia la palabra mágica: "diarrea". La enema desaparecerá más rápido que humo en un día ventoso. Si quieres una enema, te darán muy pequeñas cantidades de líquido, el suficiente para limpiar el intestino inferior. Ya no limpian más todo desde las amígdalas para abajo. Eso es un progreso.

Para evitar que te afeiten, corta tu vello púbico bien corto antes del trabajo de parto. La mayoría de los médicos ya no ordenan que te preparen.

Compresas y sorbos. Los únicos canapés que recibes en el trabajo de parto son compresas de hielo y sorbos de agua. Tu estómago se vacía muy lentamente durante el trabajo de parto. Si consumes mucha cantidad de líquidos, éstos se asientan en tu estómago hasta llegar a los 8 centímetros.

Corte y confección. Episectomía. Una episectomía es una incisión hecha en el perineo, la piel y el tejido entre la vagina y el recto. Las episectomías abren el lugar para la cabeza del bebé y pueden acelerar el parto. De los tres tipos de episectomías, el más común es el de línea media, una incisión derecha que se extiende desde la vagina hasta el recto, pero sin entrar en él. Como regla, la episectomía de línea media provoca una pequeña molestia mientras cicatriza.

La incisión mediolateral, que fue popular hace treinta años, dio a las episectomías una mala fama. Este tipo de episectomía, que se hace en un ángulo de la vagina, ha caído en desgracia por una buena razón: es muy dolorosa mientras cicatriza. Podrías afirmar siempre quién tiene una mediolateral: camina con las piernas rígidas y necesita tres almohadas para sentarse.

El tercer tipo, la episecproctotomía, es la incisión de línea media que entra en el recto. El perineo es como la gente: algunos son cortos, otros medianos, otros largos. Si tienes una incisión de línea media o un desgarro, tus chances de que se extienda hacia tu recto son mayores que con la incisión mediolateral. Ciertas situaciones te predisponen a una episectomía: un bebé grande y un perineo corto; un parto de nalgas, donde necesitas todo el espacio posible, y el hombro del bebé que se clava al salir: necesitas más espacio en un apuro. Este tipo de incisión no es de rutina, pero a veces es necesaria.

Las puntadas que se usan para reparar episectomías generalmente se disuelven entre 10 y 14 días. No te molestes en preguntar cuántas puntadas tienes; no recibirás una respuesta exacta. El médico no las cuenta. Las pone en capas: músculo, fascia y piel; cada capa tiene puntadas.

Las cuestiones relativas a la episectomía y tus tejidos. En años anteriores, los partos y episectomías eran como el amor y el matrimonio; los dos iban juntos. En las dos últimas décadas, se cuestionó la necesidad de la episectomía de rutina. La presión de la clientela dio como resultado que el *establishment* médico reviera su posición.

Ha habido muchos argumentos míticos en favor de la episectomía. Los médicos creían que si parías sin una episectomía, tu vagina quedaría permanentemente estirada y el coito sería menos satisfactorio.

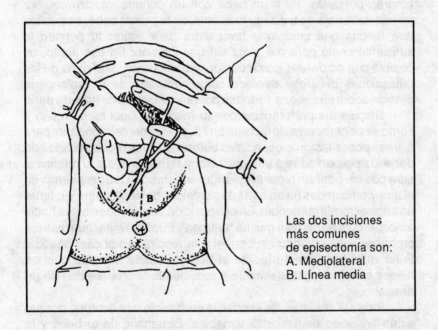

Las dos incisiones
más comunes
de episectomía son:
A. Mediolateral
B. Línea media

Todos hemos oído hablar de la famosa "puntada del marido" que vuelve a transformarte en virgen y le da a tu marido algo para esperar después del chequeo posparto. Nadie ha probado realmente la verdad de esos viejos dichos, y los expertos se pusieron de acuerdo en que

187

esa episectomía de rutina no era necesaria. Ten en cuenta que el énfasis está puesto en la rutina, no en la episectomía.

Existe acuerdo en que algunas situaciones exigen una episectomía. Es mejor que el bebé prematuro no golpee su cabeza contra el perineo. Su blanda cabeza no tolera el proceso muy bien. Cuando estás demasiado agotada como para seguir pujando, una episectomía es un alivio bienvenido. Si tu perineo parece como si fuera a desgarrarse de aquí a la China, una episectomía es una solución humana. Cuando existe evidencia de sufrimiento fetal y el bebé necesita ser extraído sin demora, la episectomía acelera las cosas.

En un análisis final, la cuestión real no es la episectomía sino si tienes puntadas. No tener una episectomía no garantiza que no tendrás puntadas. Parir un bebé con un perineo intacto requiere infinita paciencia de ti y de tu médico. Con tu primer bebé, es posible que tengas que pujar una hora extra para estirar tu perineo lo suficiente como para dar a luz sin una incisión. En ese punto, es posible que no desees pasar tiempo extra pujando. Si el ritmo de las pulsaciones del bebé decrece como resultado de la prolongada presión sobre su cabeza, todos se pondrán ansiosos de hacerte parir.

Discute tus preferencias con tu médico. ¿Cuál es su rutina y cómo se siente acerca de la cuestión? Si es realmente importante para ti, unos pocos factores esenciales aumentarán tus probabilidades de dar a luz sin puntadas o una episectomía. Pregúntale a tu médico si será posible parir sin tener tus piernas en estribos. Con tus piernas en el aire y empujadas hacia atrás, tus chances de desgarrarte y/o tener una episectomía aumentan. En esa posición, tu perineo se estira hacia arriba, lo cual no permite mucha "entrega". Puedes limitar aun más tus probabilidades pujando sin aguantar la respiración ni caer abatida. Pujar más suavemente facilita al bebé la salida, dejando que los tejidos se estiren gradualmente y reduciendo la probabilidad de un desgarro.

Para ser realistas, es imposible predecir lo que ocurrirá, porque están en juego demasiadas variables. El tamaño de tu bebé y la capacidad de tus tejidos de estirarse y relajarse son desconocidos hasta que llega el momento. Tu capacidad de pujar disminuye con la fatiga si tienes un preparto largo. Las circunstancias son demasiado numerosas como para detallarlas. Todo se reduce a ser flexible y a confiar en que tu médico tomará la decisión más apropiada en el momento oportuno. La mayoría de las mujeres que tienen una episectomía regular de línea media están de acuerdo en que no es un asunto grave. La incisión cicatriza rápidamente y las molestias son mínimas —no necesitas almohadas para sentarte.

Con episectomía o sin ella, una buena forma de estirar los músculos del perineo es el ejercicio de Kegel, también conocido como la compresión perineal. Haz este ejercicio isométrico contrayendo y relajando alternativamente el músculo pubocoxígeo (vaginal/perineal). Éste es el músculo que te deja interrumpir la caída de líquido al orinar. Contrae tus músculos vaginales contando hasta 10 y luego relájalos por varios segundos. Repite el proceso dos o tres veces varias veces por día. Una alternativa al ejercicio de Kegel es la Vagette, un dispositivo eléctrico de plástico que puedes encargar por medio de tu doctor. Insertado en la vagina, hace que tus músculos se contraigan rítmicamente. Puedes fijar la cantidad de estimulación y aumentarla con el tiempo para tensar esos músculos. La Vagette no se recomienda durante el embarazo, pero puedes emplearla después de haber parido.

La compresión perineal promueve la cicatrización de tus puntadas y mejora la circulación. El tono vaginal se recupera más rápidamente. A medida que pasan los años, puede ayudar a prevenir los "chorros" (incontinencia urinaria) cuando toses o estornudas. Y lo último en orden pero no en importancia: mejorará tu vida sexual aun sin la puntada del marido. El ejercicio de Kegel es beneficioso durante el embarazo, después del parto, en todo momento.

Te tengo bajo mi piel

Fluidos intravenosos (IV)

Las IV no son de rutina para la mayoría de los médicos. Las reservan para ocasiones especiales. Si apareces en el trabajo de parto con tu lengua que parece cocida en salmuera y tu orina del color de la melaza, estás deshidratada. La falta de líquidos puede afectar tu trabajo de parto. Necesitas una IV para llenar tu tanque y mantener tu útero en marcha. Pérdida de sangre, parto inducido, anestesia local y sufrimiento fetal son otras razones para administrar una solución IV. Una IV es mucho más fácil de tolerar en estos días. Aún se utiliza una aguja que atraviesa la piel y entra en la vena, pero un fino tubito de plástico se desliza por la aguja y permanece en la vena. La aguja sale. No tienes la molestia, ni que preocuparte por la aguja. Una vez que el tubo está en la vena, no lo sientes. Puedes usar tu brazo con comodidad.

Monitoreo fetal

Un abrazo de despedida

Una función de la placenta es actuar como los pulmones del bebé. La sangre, que transporta oxígeno, viaja desde la placenta, a través del cordón umbilical, hasta el bebé. Las contracciones uterinas obligan a la sangre a salir de la placenta. Durante 40 a 60 segundos, el bebé es comprimido por el útero. Tolerar la falta intermitente de oxígeno es estresante para el bebé. La mayoría de los bebés manejan el estrés muy bien, pero aquellos que no pueden tolerar ni siquiera los cortos períodos de reducción de oxígeno se agotan. El monitor fetal es una manera de evaluar si el bebé está manejando bien los efectos de las contracciones.

Yo estoy bien, tú estás bien

El monitor fetal proporciona una crónica sobre la marcha de la relación entre las pulsaciones del bebé y las contracciones uterinas. Cuando el trazado del monitor es normal, predice en un 99% un buen resultado —muy tranquilizador para todos—. Sin embargo, si el bebé tiene dificultad para tolerar las contracciones, entonces una intervención temprana para prevenir problemas ulteriores es muy importante. En forma temprana, indicios sutiles del patrón de ritmo cardíaco pueden a menudo ser identificados y a partir de ahí tomarse medidas terapéuticas para contrarrestar el problema.

Es importante saber lo que el monitor puede hacer y lo que no. El monitoreo fetal nos cuenta si el sistema nervioso central del bebé está funcionando adecuadamente, como se refleja en el patrón de pulsaciones. Sólo nos dice que en un preciso momento el bebé está recibiendo el oxígeno apropiado para que el sistema nervioso central funcione normalmente. El monitoreo fetal no puede prevenir o detectar problemas neurológicos como parálisis cerebral (PC). La mayoría de los casos de PC no son previsibles ni están relacionados con los eventos del trabajo de parto y el alumbramiento.

Una interpretación precisa del patrón del ritmo cardíaco del bebé puede evitar una cesárea innecesaria cuando el trazado es tranquilizador. El sufrimiento fetal influye en menos del 5% del promedio de partos por cesárea. El monitor cumple exactamente con aquello para lo que está destinado: identifica a los bebés que necesitan ayuda y a aquellos que no.

Método de monitoreo externo

Las pulsaciones del bebé y las contracciones uterinas son registradas por dos cinturones, con pequeños censores, atados alrededor de tu abdomen. La información se registra continuamente en una hoja de papel de la máquina. El transductor de ultrasonido recoge el movimiento del corazón del bebé y lo transforma en sonido de pulsaciones. El monitor muestra el ritmo cardíaco como una línea zigzagueante en la zona superior del papel de trazado. El transductor puede "perder" temporariamente una señal si el bebé se mueve fuera del promedio de las emisiones del ultrasonido. Si de pronto el ritmo cardíaco no se registra o parece estar saltando por todo el papel, eso significa que el transductor necesita un reajuste. Llama a la enfermera, quien lo colocará en un nuevo lugar para que haga un registro correcto.

El transductor táctil es un simple aparato de presión que registra las contracciones. Puede medir con precisión el intervalo entre contracciones y su extensión, pero no su fuerza. Si aprietas el cinturón, las contracciones se ven como algo colosal. Si el cinturón se afloja, incluso las que te hacen retorcerte parecen contracciones leves. Las contracciones son registradas en la parte inferior del papel de trazado y parecen pequeñas colinas.

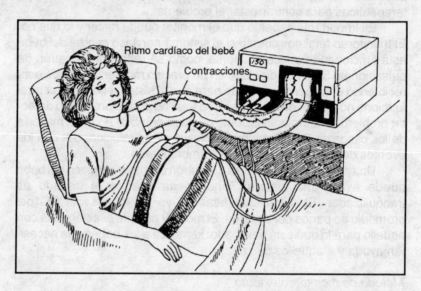

La tecnología del monitor externo ha mejorado notablemente en los últimos años. Los monitores más nuevos pueden producir un trazado que se acerca a la información que puede obtenerse a partir de un rastreo interno. La calidad mejorada del rastreo externo reduce la necesidad, en muchos casos, de rotura artificial de membranas para aplicar el electrodo interno con el fin de registrar el ritmo cardíaco del bebé.

El principal inconveniente del método externo es la molestia de los cinturones. Necesitan reajuste permanente si tú o el bebé se mueven. El costado positivo es que no se han descubierto riesgos asociados al uso del monitor externo.

Método de monitoreo interno

El método interno registra con precisión las pulsaciones del bebé y los cambios a cada momento en cada latido. Un delgado electrodo con un cable se inserta justo debajo del cuero cabelludo del bebé (muy parecido a pinchar con una aguja un callo de tu dedo). El procedimiento probablemente no sea más molesto para el bebé que las contracciones.

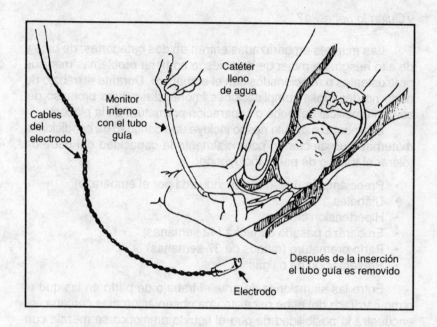

Cables del electrodo

Monitor interno con el tubo guía

Catéter lleno de agua

Después de la inserción el tubo guía es removido

Electrodo

La fuerza de las contracciones puede ser medida electrónicamente con un tubo flexible (catéter) colocado en el cuello del útero junto a la cabeza del bebé. Durante las contracciones, el monitor registra el monto de presión ejercida sobre el sensible diafragma. El catéter interno puede usarse cuando la bolsa de agua está rota. Evaluar la fuerza de las contracciones es particularmente importante si tu trabajo de parto no progresa en un promedio constante y/o si debe ser estimulado por oxitocina.

Además de brindar información más precisa, el método interno es más cómodo... no hay cinturones. El monitoreo interno solo no provoca infecciones uterinas. La preocupación es infundada. Las mujeres con una rotura prolongada de membranas y un largo trabajo de parto tienen un riesgo más alto de infección. Es más probable que tengan que ser examinadas más frecuentemente y terminen con un catéter intrauterino para evaluar el trabajo de parto. La culpable es la rotura prolongada de membranas, no el catéter.

¿Quién lo necesita?

Las mujeres embarazadas entran en dos categorías: de bajo y de alto riesgo. La mujer de bajo riesgo no tiene problemas médicos preexistentes o relacionados con el embarazo. Durante el trabajo de parto no desarrolla complicaciones imprevistas, como prolapso del cordón umbilical del bebé o separación prematura de la placenta.

El embarazo de alto riesgo incluye una cantidad de condiciones maternas que afectarían potencialmente la capacidad del bebé de tolerar el trabajo de parto, incluyendo:

- Preeclampsia (hipertensión inducida por el embarazo)
- Diabetes
- Hipertensión crónica
- Embarazo pasado de fecha (42 semanas)
- Parto prematuro (menos de 37 semanas)
- Presentación de nalgas

Entre las situaciones durante el trabajo de parto en las que el ritmo cardíaco del bebé necesita una observación más cercana, se encuentra la posibilidad de que el líquido amniótico se mezcle con meconio y de que se produzcan cambios sospechosos en el ritmo cardíaco, detectados con un estetoscopio.

El monitoreo fetal continuo no parece necesario para la madre de bajo riesgo que permanece en esa categoría durante el trabajo de parto entero. El ACOG considera que el solo hecho de escuchar las pulsaciones del bebé con un estetoscopio es un monitoreo aceptable para el embarazo de bajo riesgo. Eso suena bastante simple, pero se requiere que la enfermera escuche tan a menudo que se convierta en un monitor humano continuo. La gran mayoría de unidades obstétricas no tienen tanto personal de enfermería como para adherir a esa posición.

194   Muchos departamentos de trabajo de parto hacen lo que se llama

un medidor de línea de base para la clientela de bajo riesgo. Un monitoreo de 20 minutos se hace al llegar y se repite cada hora. Ésta parece una aproximación razonable.

Disculpa la intrusión

El uso del monitor fetal no es incompatible con una experiencia de parto armónica e íntima. Un monitor no arruinará tu experiencia, pero un personal insensible puede hacerlo. Si el monitoreo se hace necesario, la razón para su uso debería ser explicada por adelantado. La enfermera debería mostrarte a ti y a tu marido cómo funciona y mantenerlos informados de los datos que brinda el monitor. Quedar confinada en la cama es innecesario. Puedes ser monitoreada de pie al lado de la cama o sentada en una silla junto al monitor. El monitor puede ser desconectado el tiempo suficiente como para que vayas al baño.

Cuando son informadas apropiadamente de la necesidad y educadas en relación con su uso, las parejas en la dulce espera tienen una experiencia positiva con el monitor fetal. Es una ayuda, no un obstáculo.

Agua. Agua por todos lados. Episectomía

El estado de tu bolsa de agua (membranas) puede afectar tu trabajo de parto. No parece caber mucha duda de que, después de los 4 cm, un patrón de contracciones ineficientes puede ser mejorado mediante una rotura artificial de membranas (RAM). Cuando el patrón de contracciones ya es efectivo y se ha obtenido un progreso normal, la RAM no tiene un propósito real. Puede acelerar levemente el trabajo de parto. ¿Existe algún beneficio en acelerar levemente el trabajo de parto? No parece haber ninguno para el bebé. El bebé tolera el trabajo de parto mejor cuando el agua amortigua su cabeza y el cordón umbilical durante las contracciones. Después del parto, los bebés sin rotura de membranas tienen niveles más altos de oxígeno, pero no es una diferencia seria.

Sugerencias para el instructor

Hubo un tiempo en que los padres eran entrenados en la escuela   195

Butterfly McQueen/Blanche Du Bois para apoyar a mamá durante el trabajo de parto. Caminaban por la sala de espera retorciéndose las manos y murmurando: "¡No sé nada de nacimiento de bebés, Srta. Scarlett!". Sus mujeres tenían que "confiar en la amabilidad de extraños" para que las confortaran y apoyaran durante el trabajo de parto. Las actitudes y reglas cambian. En los 60, si querías estar presente en el parto de tu bebé, eras acusado de ser un "pervertido". Ahora, si no quieres estar allí en el momento del parto, eres un cretino insensible. ¡No es verdad!

El trabajo de parto es estresante para ambos. Tu rol se ha convertido en el de protector, consolador y tutor. Las clases de preparación para el parto ayudan pero no alivian del todo tus propios miedos y ansiedades. Tienes que manejar tus propios sentimientos mientras observas a tu mujer sufriendo. Conservarte firme en tu propio rol te ayuda a mantener tu perspectiva. No te sorprendas si te encuentras, inicialmente, un poco confuso al instruir a tu mujer en los ejercicios de respiración que ambos han aprendido. Te preguntas cómo vas a recordar todo lo que te enseñaron en clase. La ansiedad de realización es normal.

Tu rol como tutor en realidad comienza antes del trabajo de parto. Lee esta sección completa para familiarizarte con las técnicas de acupresión, relajación y visualización y las diversas posiciones y medicamentos convenientes durante el trabajo de parto. Estudia las ilustraciones y aprende las técnicas de acupresión que crees que podrías usar. Practícalas al menos durante dos meses antes de su fecha de parto —todos los días, si es posible—. Familiarízate con sus técnicas de visualización y relajación, de modo que puedas recordárselas durante el preparto si ella necesita ayuda. Tu manera de ayudarla puede ser seleccionar esos auxilios para salir adelante en los momentos apropiados. Trae contigo sus casetes de relajación favoritos. ¡Cualquier cosa que funcione! Para aquellos momentos en los cuales ella parece estar perdiendo su calma, usa los puntos de presión que promueven sensaciones serenas y apacibles.

Durante la fase de trabajo de parto activa, a medida que las contracciones se vuelven más intensas, puedes sentir como si ella no te necesitara. Ten por seguro que sí te necesita; simplemente no está interesada en hablar. No podrá llevar a cabo más que una conversación y hace caso de directivas limitadas. Haz que tus frases sean breves y usa palabras afirmativas para las directivas. Por ejemplo, dile "Relájate" en vez de "No te tensiones"; "Jadea" y no "No pujes". Mantén un tono de voz suave y tu cabeza fría si ella pierde los estribos con algunas imprecaciones irreproducibles. Incluso la flor más frágil de la femineidad puede desarrollar temporariamente el vocabulario de un camionero en este momento, para horror de su marido.

Puedes ayudarla a mantener la calma asegurando que sólo una persona por vez le brinde directivas verbales. Demasiada información de demasiadas fuentes puede confundirla y distraerla, especialmente durante el segundo estadio. Cuando tienes un montón de personas de apoyo, pueden excitarse. Cada uno tratará de alegrarla al mismo tiempo. Controla con ella periódicamente para ver si está cómoda con más personas que tú solo en el cuarto. Puede ser que decida que no puede seguir adelante con una audiencia tan grande. Puedes hacerte cargo y mandar a todos afuera a que vayan a tomar algo. Si te encuentras con que ella no está progresando, ésa puede ser la señal para el momento de un refrigerio para el grupo de apoyo. Puede tener ansiedad de realización, lo que afecta su trabajo de parto.

Lo más importante es que ella te necesita para que la apoyes y la comprendas, no para que marques sus logros. Éste no es un partido de un campeonato. Si ella siente que necesita medicación, no trates de persuadirla de lo contrario o, lo que es peor, decirle que no puede tomarlo. Ella depende de ti para que estés atento a sus necesidades.

En estos días, todo el mundo espera que tú estés presente en el momento del parto. Algunos hombres simplemente no pueden manejar la intensidad de la experiencia y preferirían no estar allí. Eso no significa que eres insensible o no ames a tu mujer. Si eres uno de aquellos que preferirían enfrentarse en diez rounds con el campeón de peso pesado que observar un parto, díselo. Incluso así puedes estar ahí para ella en el preparto, pero cuando llega el gran momento puedes salir o cerrar tus ojos —lo que parezca más pertinente en el momento—. Siempre puedes cambiar de opinión, pero al menos tienes la opción si lo quieres.

No olvides ser bueno contigo mismo. Periódicamente puedes necesitar un descanso después de horas de instrucción. Pídele a su enfermera o a otra persona de apoyo que te releve. Ellos pueden quedarse con ella mientras tomas el tan necesitado aliento. Prueba con algunas técnicas de relajación y come algo. Transmites paz y confianza a tu mujer a través de tu sentido de bienestar y toque preciso. Considera tener presente a una persona de apoyo *para ti*, alguien que sea optimista, animado y calmo para alegrarte *a ti*.

Ponerte seria: trabajo de parto activo

Durante el trabajo de parto, tu cuerpo y psiquis toman direcciones opuestas. A medida que tu cuerpo se abre para permitir que el bebé entre en el mundo, tu ego busca refugio. Se cierra en sí mismo al mundo externo, como una flor. Te repliegas hacia adentro cada vez más, a medida que el trabajo de parto avanza, en un estado alterado de conciencia. Algunas mujeres describen la sensación como de estar en el fondo de un pozo. Cuando la gente te habla, te sientes muy distante. Tu concentración en la tarea que estás llevando a cabo es muy intensa. Te pones muy irritable si alguien interfiere en esa concentración, particularmente durante una contracción. Te encuentras buscando conexión con una voz para recibir apoyo o directivas y excluyendo a todos los demás. Esa voz brinda un ancla psicológica en medio de la tormenta de la actividad uterina y de las intensas sensaciones físicas. Estás bien dispuesta a delegar decisiones respecto de detalles de menor importancia a aquellos que te rodean.

Cambios físicos

La segunda parte del primer estadio es la fase activa del trabajo de parto. En este momento tu cérvix tendrá una dilatación de al menos 3 cm. Tus contracciones han pasado gradualmente de los espasmos de tipo menstrual a un ritmo más fuerte y regular. No hay tambores redoblando ni trompetas tocando para anunciar tu progresión a la fase activa; es simplemente más de lo mismo, sólo que más intenso. Tus contracciones son más largas, más fuertes y más predecibles en tiempo, ocurriendo en algún momento del período entre los 3 y los 5 minutos de distancia y con una duración de 45 a 60 segundos. El mucus con sangre te dice que tu cérvix está cambiando.

Las contracciones aumentan en intensidad durante la fase activa. Si quieres, durante el trabajo de parto escucha el "Bolero" de

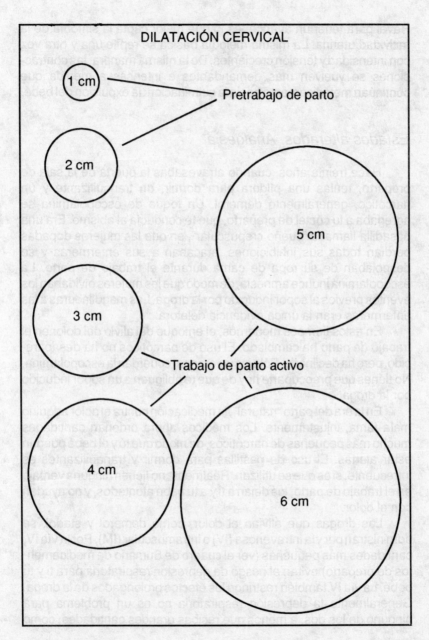

DILATACIÓN CERVICAL

1 cm

2 cm

Pretrabajo de parto

3 cm

5 cm

Trabajo de parto activo

4 cm

6 cm

199

Ravel para tener un avance; es lo que mejor capta la sinfonía de la actividad uterina. La misma melodía básica se repite una y otra vez con intensidad y tensión crecientes. De la misma manera, las contracciones se vuelven más demandantes e intensas a medida que continúan metódicamente hacia la culminación: la expulsión del bebé.

Estados alterados. Analgesia

Hace treinta años, cuando atravesabas la puerta de la sala de preparto, tenías una píldora para dormir, un tranquilizante y un narcótico, generalmente demerol. Un toque de escopolamina se agregaba a tu cóctel de preparto, que te conducía al abismo. Era una pesadilla llamada "sueño crepuscular", en que las mujeres dopadas perdían todas sus inhibiciones, atacaban a sus enfermeras y se despojaban de su ropa de cama durante el trabajo de parto. La escopolamina induce amnesia, de modo que las mujeres olvidaban los eventos previos al sopor inducido por la droga. Las magulladuras a las enfermeras eran la única evidencia delatora.

En estos tiempos modernos, el enfoque del alivio del dolor en el trabajo de parto ha cambiado. El uso de narcóticos no ha desaparecido, pero ha declinado. Sólo los veteranos recuerdan la escopolamina. No tienes que preocuparte hoy de que te obliguen a un sopor inducido por la droga.

En la era del parto "natural", la medicación contra el dolor adquirió mala fama, injustamente. Los médicos ahora ordenan cantidades mucho más pequeñas de narcóticos, de modo que tú y el bebé puedan estar alertas. El uso de pastillas para dormir y tranquilizantes es infrecuente, si es que se utilizan. Realmente no tienen ninguna ventaja en el trabajo de parto, los dejan a ti y a tu bebé atontados, y no ayudan con el dolor.

Las drogas que alivian el dolor, como demerol y stadol, se administran por vía intravenosa (IV) o intramuscular (IM). Por la vía IV, cantidades más pequeñas (ver el cuadro de Sumario de medicamentos de preparto) evitan el riesgo de depresión respiratoria para ti y tu bebé. La vía IV también restringe los efectos prolongados de la droga. Generalmente la depresión respiratoria no es un problema para ninguno de los dos, a menos que recibas grandes cantidades, como por ejemplo 50 mg de demerol por hora durante más de 6 horas o una IV de 100 mg en una dosis grande. Las dosis de 25 a 50 mg administradas, aún faltando una hora para el parto, no afectan al bebé, como antes se pensaba. Otro importante mito para desterrar: los narcóticos *no* demoran el trabajo de parto. En realidad no tienen efectos detectables sobre las contracciones. El demerol puede tener un efecto ligeramente estimulante si recibes oxitocina al mismo tiempo. Algunos narcóticos no son compatibles. Por ejemplo, no se puede dar stadol y luego administrar demerol para la dosis siguiente, porque se anulan una a la otra y no alivian tu dolor.

Drogas autoadministradas

El desarrollo más novedoso en control del dolor para la mujer en preparto es el demerol intravenoso autoadministrado, llamado ACP (analgesia controlada por el paciente), que ha sido empleado por algún tiempo para controlar el dolor posoperatorio. Debería funcionar igual de bien durante el trabajo de parto. Algunas unidades de obstetricia están evaluando la seguridad y efectividad de este método y hasta el momento los resultados parecen buenos. La cantidad de droga que quedó en la circulación sanguínea del bebé después del nacimiento fue significativamente más baja en el grupo de autoinfusión. El grado de satisfacción en las pacientes de este grupo también era más alto que en aquellas de los grupos que usaban los métodos tradicionales.

Frena la ansiedad

La ansiedad y la tensión son tus peores enemigos en el trabajo de parto. Tienen un efecto negativo sobre las contracciones, que en una madre ansiosa pueden ser frecuentes pero no lo suficientemente efectivas como para promover un progreso normal en el trabajo de parto. Ve lo que te pasa a ti en el trabajo de parto. Si eres capaz de continuar en la cima de las contracciones y sentirte bien con lo que estás haciendo, ¡grandioso! Si pones lo mejor de ti pero sientes que estás perdiendo el control, pide un poco de medicación. Eso no es indicador de fracaso; es uno de esos auxilios para seguir adelante. Está ahí si lo necesitas.

SUMARIO DE MEDICAMENTOS PARA EL PREPARTO

Tipo/Nombre Dosis	Beneficios	Precauciones
Narcóticos Demerol 25-50 mg IV cada 2 hs. 50-100 mg IM cada 3-4 hs.	No retarda el trabajo de parto. Disminuye la ansiedad. Permite dormir entre contracciones.	Náuseas y vómitos si se da demasiado rápidamente. Posible depresión respiratoria si se da en grandes dosis.
Stadol 1-2 mg IV o IM Morfina 2-3 mg IV 10-15 mg IM	Menor efecto respiratorio depresivo que otros narcóticos. Gran alivio del dolor. Sin efecto sobre el trabajo de parto.	No puede ser dado antes que el demerol (lo hace inefectivo). Depresión respiratoria con altas dosis. No usada rutinariamente para la fase activa.
Ansiolíticos Vistaril 50-100 mg IM 50-100 mg oral	Favorece la relajación en el trabajo de parto temprano.	La inyección IM es dolorosa. Se prefiere administración oral.
Valium y similares	Disminuyen la ansiedad.	No recomendados para trabajo de parto. Causan depresión en el recién nacido.
Sedantes Seconal Nembutal Hidrato cloral	Ninguno.	Somnolencia. Depresión en el recién nacido.

Alivio total: anestesia regional

La anestesia regional durante el trabajo de parto adormece determinadas áreas de tu cuerpo para aliviar el dolor. Los bloqueos peridural y espinal para trabajo de parto y alumbramiento generalmente te duermen de la cintura para abajo. La medicación es del mismo tipo que usa tu dentista para anestesiar tus encías. En el trabajo de parto, anestesia el otro extremo de tu anatomía. Ya no sientes más contracciones ni la presión de la cabeza del bebé en tu zona inferior (perineo).

En años anteriores, cuando la anestesia peridural ya se usaba, había perdido aceptación entre las consumidoras y los médicos. El deseo de hacer el trabajo de parto sin drogas condujo a una declinación en el uso por parte del consumidor. Las dosis más altas de medicación utilizadas entonces dieron como resultado el uso de la anestesia total. La madre era incapaz de pujar eficazmente y era común el parto con fórceps. Tomaba varias horas la desaparición de la anestesia. Tenía que permanecer en cama. La disfunción en la vejiga era un problema habitual.

Un nuevo acercamiento a la anestesia peridural elimina algunos de los problemas previos. Con una dosis baja y continua de peridural, la falta de control motriz no es un problema. Ahora puedes estar anestesiada pero seguir moviendo tus piernas y pujar cuando llega el momento. Hay mucha menos necesidad de fórceps. Una nueva variante para la peridural es inyectar un narcótico como morfina o fetanol en vez del agente anestesiante local en el espacio peridural. Obtienes un gran alivio del dolor sin todos los efectos colaterales en tu organismo y en el de tu bebé.

Si no te interesa experimentar el dolor del preparto del principio al fin, la peridural es la única vía, porque brinda un maravilloso alivio cuando es efectiva. Éste es el anverso. Veamos el reverso.

Si tienes una peridural, también tienes una IV, el conducto peridural adherido a tu espalda, un monitor fetal, monitoreos continuos de pulso y de presión sanguínea, un dispositivo de medición de sangre (oxímetro) enganchado en tu dedo como un broche para la ropa y posiblemente un catéter urinario. Es un trueque de alta tecnología. Obtienes un alivio total la mayor parte del tiempo, pero junto con eso un manojo de tubos. Tampoco es infrecuente que las contracciones

203

disminuyan temporariamente después de una peridural. Deberías agregar estimulación de oxitocina a la lista. Si no quieres nada de dolor, probablemente no te preocupen los tubos. Es tu decisión.

Generalmente, puedes detener tu peridural con una dilatación de 4 cm. Puede ser muy molesto sentarse y quedarse quieta mientras te colocan la aguja y el tubo. Es posible hacer que el anestesiólogo instale el tubo en un estadio temprano del trabajo de parto y administre sólo la dosis tentativa. Una vez que recibes la dosis completa, el dolor se alivia en alrededor de 15 a 20 minutos. Los primeros prepartos son los mejores candidatos para este tipo de anestesia. Los siguientes a menudo progresan demasiado rápido como para que el anestésico surta efecto.

Si piensas que quieres una peridural, deja que tu médico lo sepa por anticipado. Algunos hospitales ofrecen un servicio de 24 horas, otros no. También puede ser caro. Averigua con anticipación las posibilidades para poder hacer tus planes.

La anestesia espinal fue muy popular en los 60. Funciona bien, pero no puedes obtenerla hasta el momento de pujar en el parto. Puede que no valga la pena a esa altura. Si necesitas fórceps, sin embargo, brinda un alivio muy bienvenido.

Anestesia local y pudendal

Si es necesaria una episectomía, el médico usa una anestesia local o pudendal. Una anestesia local implica inyectar la medicación adormecedora en la piel de tu perineo donde se realiza la incisión. Con un bloqueo pudendal, el médico inyecta el anestésico alrededor de los nervios de la vagina. Experimentas alivio del dolor en la mitad inferior de la vagina y en un área más amplia del perineo que con una local.

Posiciones para el trabajo de parto

Tu posición en el trabajo de parto tiene un definido e importante efecto sobre tus contracciones. Cuando estás acostada boca arriba y en una posición semiincorporada, las contracciones son más frecuentes pero menos dolorosas y *no tan efectivas*. Si te sientes más cómoda acostada, vuélvete sobre un lado. Las contracciones en esta posición estarán más distanciadas pero serán más fuertes. El torrente sanguíneo a la placenta también es mejor en esta posición. Las contracciones cada menos de 3 minutos decrecen en fuerza. La fuerza dilata el cuello del útero con mayor eficacia que las contracciones frecuentes. Dada la opción, la mayoría de las mujeres, durante el trabajo de parto, elegirán estar sentadas o de pie, no acostadas. El trabajo de parto en posición vertical es más cómodo y requiere menos medicación. La fuerza de gravedad ayuda en la dilatación del cérvix. El trabajo de parto puede ser monitoreado electrónicamente, si es necesario, mientras estás parada o sentada. ¿Qué sucede si rompes bolsa? ¿Tienes que quedarte en cama? ¡No! Si la cabeza de tu bebé encaja cómodamente en el cuello del útero, no hay razón para quedarse en cama. La posibilidad de que el cordón del bebé caiga a través del cérvix y corte el suministro de oxígeno es remota. Una vez que te paras, la gravedad mantiene la cabeza del bebé abajo. A menos que la cabeza no esté en la pelvis (flotando), no hay una razón lógica para que estés obligada a quedarte en cama. Tener que usar un orinal, especialmente durante el trabajo de parto, es un castigo cruel e inusual.

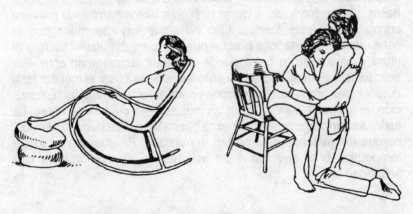

Durante el trabajo de parto, cambia de posición frecuentemente. Muchas mujeres descubren que sentarse en el inodoro les resulta muy cómodo. Almohadas colocadas detrás de la espalda brindan aun más comodidad.

205

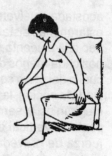

Trabajo de parto perezoso

Si tienes contracciones pero no estableces ningún récord en velocidad, probablemente tu médico quiera darte oxitocina para estimular contracciones más fuertes y más frecuentes. Ver la sección "Inducción de parto" en el Capítulo 15, "Parto especial". Vale la pena intentar primero algunas alternativas temporarias. ¡Camina! Pregúntale a tu médico si puedes intentar con una estimulación de los pezones, frotando suavemente un pezón a través de tu camisón a intervalos de no más de 2 minutos con un descanso de 5 minutos entre los períodos de estimulación. Durante una contracción, deja de frotar hasta que se haya ido. Liberar tu propia oxitocina natural provoca contracciones más fuertes. Que no se te vaya la mano con la estimulación de pezones porque puede hiperestimular el útero y el ritmo cardíaco de tu bebé puede disminuir temporariamente. Por precaución, es probable que tu enfermera quiera usar el monitor fetal durante la estimulación de pezones para detectar cualquier disminución en las pulsaciones. Sigue las indicaciones cuidadosamente. La estimulación de pezones no es una buena idea para períodos largos, porque tus pezones se inflaman demasiado. Prueba con un toque terapéutico o el ejercicio 4 de acupresión. ¡Cualquier cosa que funcione!

Posición de occipucio posterior

206 Un pequeño porcentaje de mujeres experimenta un "trabajo de parto de espaldas". La cabeza del bebé está abajo, pero mira al cielo

raso en vez de al piso. Esta posición presiona más tu espalda y también hace que la dilatación del cuello del útero sea más lenta. La posición de occipucio posterior (OP) puede sumar de 3 a 5 horas a tu trabajo de parto. El truco es hacer que la cabeza del bebé rote de modo que la dilatación del cérvix sea más eficiente. Una posición sobre manos y rodillas ayuda a que la cabeza del bebé rote. Si no tienes un almohadón para dejarte caer encima, usa las almohadas en la cama. Trata de estimular la posición de dormir de un bebé: flexiona tus rodillas debajo de tu abdomen, mantén la cola en el aire y toca la cama con los hombros y la cara. Amontona almohadas debajo de tu pecho por comodidad.

El punto de viraje. Transición

El estadio de transición del trabajo de parto ocurre a los 8 centímetros. Sientes una diferencia en las contracciones y tienes la sensación de que algo está por suceder. Las contracciones están al máximo de su intensidad. Es muy común sentirse emocionalmente disociada e irracional en ese momento. Más de una mujer se ha encontrado diciendo: "Cambié de idea. Me quiero ir a casa, ¡ahora!" Eso es algo extremo, pero sientes que ya no puedes seguir adelante y que nada está saliendo bien. ¡Quieres a tu mamá! El instinto de pujar se vuelve muy fuerte. Puede ser que te invadan las náuseas. Afortunadamente, esta fase es corta.

La línea de llegada: segundo estadio

Pronto estás completamente dilatada y las contracciones por suerte se sienten menos intensas, aunque en realidad son más fuertes. Ya no tienes que enfrentarte con el dolor de la dilatación del cuello del útero. Ahora sientes más presión a medida que la cabeza del bebé se va desplazando hacia abajo.

En el segundo estadio del trabajo de parto, la parte más difícil ha terminado, pero to-davía queda trabajo por hacer. A pesar de estar exhausta, la euforia se apode-ra de ti. De algún modo, encuentras la energía para termi-nar el trabajo. La adrenalina fluye y sientes la necesidad de pujar. Mientras estás pujando, tus órganos pélvicos están cada vez más atiborrados de san-gre. Algunas muje-res afirman que experimentan un orgasmo mientras pujan en el momento del parto. ¡Una fina línea a medio camino del placer y el dolor!

Hay dos maneras de pujar al bebé para que salga. La mayoría de los médicos y enfermeras todavía están a favor del método tradicional. Los educadores de parto enseñan el método tradicional y el "natural". Aquí, un curso intensivo sobre ambos métodos.

La gran pujada

Después de una larga espera, tu médico y tu enfermera están listos para un poco de acción real y resultados veloces. Quieren que

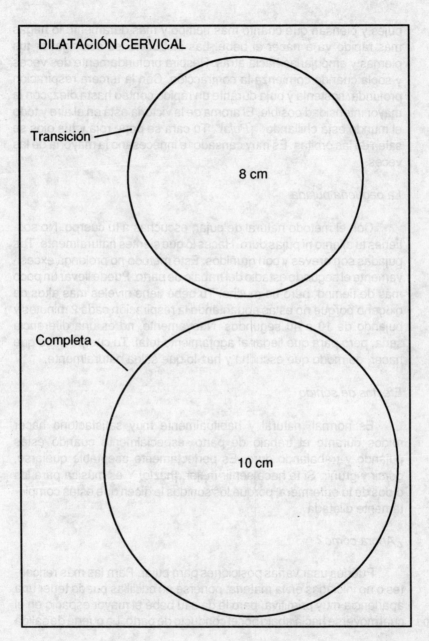

DILATACIÓN CERVICAL

Transición

8 cm

Completa

10 cm

209

pujes y piensan que cuanto más tiempo y más duramente lo hagas más rápido va a nacer el bebé. Las instrucciones son agarrar tus piernas y empujarlas hacia atrás. Respira profundamente dos veces y sopla cuando comienza la contracción. Con la tercera respiración profunda, sostenla y puja durante un rápido conteo hasta diez, con la mayor intensidad posible. El aroma de la victoria está en el aire y todo el mundo está chillando: "¡Puja!". Tu cara se pone roja y tus ojos se salen de las órbitas. Es muy cansador e innecesario la mayoría de las veces.

La pequeña pujada

Con el método natural de pujar, escuchas a tu cuerpo. No sostienes tu aliento ni pujas duro. Haces lo que sientes naturalmente. Tus pujadas son breves y con gruñidos. Este método no prolonga excesivamente el segundo estadio del trabajo de parto. Puede llevar un poco más de tiempo, pero no mucho. Tu bebé tiene niveles más altos de oxígeno porque no estás aguantando la respiración cada 2 minutos y pujando de 10 a 40 segundos. Nuevamente, no es una diferencia seria, pero para qué llegar al agotamiento total. Tu cuerpo sabe qué hacer, de modo que escucha y haz lo que salga naturalmente.

Efectos de sonido

Es normal, natural y habitualmente muy satisfactorio hacer ruidos durante el trabajo de parto, especialmente cuando estás pujando y trabajando duro. Es perfectamente aceptable quejarse, gemir y gruñir. Si te hace sentir mejor, ¡hazlo! Y es música para los oídos de tu enfermera, porque los sonidos le dicen que estás completamente dilatada.

¿Ahora cómo?

Puedes usar varias posiciones para pujar. Para las más reticentes o no iniciadas en la materia, ponerse en cuclillas puede tener una apariencia muy primitiva, pero le da a tu bebé el mayor espacio en el cual moverse hacia abajo por el conducto de parto. La puerta de salida pélvica es la más ancha en esta posición. Cuando llegue el momento, no pasarás mucho tiempo pensando en tu apariencia; toda tu concentración estará puesta en ayudar al bebé a que salga.

Puedes ponerte en cuclillas sobre la cama, el piso, el inodoro —lo que sea más práctico y te dé la mayor comodidad y sostén—. Las ilustraciones te dan una idea de lo que es posible.

Sentarse en la cama funcionará hasta que la cabeza del bebé necesite más espacio en tu vientre para estirarse hacia arriba y comenzar a "coronarse" (puedes ver la cabeza del bebé). Cuando estás sentada en la cama, el colchón impide al bebé estirarse más. En este punto, ponerte en cuclillas es una buena posición, o darte vuelta hacia un costado. Las sillas de parto tienen la ventaja de usar la gravedad y dejar al bebé descender y estirarse sin interferencia. Prueba varias posiciones hasta decidir cuál de ellas funciona mejor para ti.

El tiempo promedio para pujar en las primerizas es de 25 a 75 minutos. Si es necesario, puedes pujar durante una hora o dos si todo permanece en la normalidad. Los bebés no caen solos hacia afuera la primera vez; tienes que trabajar duro para estirar esos tejidos. Sentarte en el inodoro para pujar es muy seguro y realmente cómodo.

Las multíparas generalmente tienen un segundo estadio más rápido y no necesitan pujar tanto. Un buen promedio de tiempo para pujar es de 13 a 17 minutos. Si decides ponerte en cuclillas mientras pujas, hazlo en tu cama o junto a ella. La enfermera debería quedarse contigo por si las cosas avanzan rápidamente. Ponerte en cuclillas en el inodoro es riesgoso —los bebés no vienen equipados con aletas.

La posición recostada sobre un lado es cómoda y mantiene al bebé mejor oxigenado, al no comprimirse los vasos sanguíneos. Tu marido puede sostenerte la pierna que queda ubicada arriba o apoyarla sobre la baranda lateral de la cama.

Para el parto en sí, la mayoría de los médicos prefieren la posición tradicional boca arriba, tus piernas en el aire. Las desventajas para ti en esta posición incluyen una incidencia más alta de episectomía. La entrada a la vagina se tensa y se angosta mientras flexionas tus rodillas y doblas tus piernas hacia atrás. Las contracciones también se vuelven más débiles e irregulares. Además tienes que pujar contra la gravedad, lo cual no es muy eficiente.

Para el parto sin complicaciones, la posición acostada sobre un lado tiene diversas ventajas. El estiramiento y la expulsión de la cabeza son más fáciles. La episectomía no se requiere tan a menudo e incisiones más superficiales son posibles. Algunos médicos y parteras usan esta técnica y realmente la prefieren una vez que la emplean por un tiempo. Ésta es una posición especialmente conveniente si estás pariendo en tu cama de parto.

Si tienes que usar una camilla regular de parto, puede transformarse en una seudosilla de parto con algunos ajustes. Se eleva el cabezal de la camilla. Los estribos se bajan para sostener tus piernas en una posición de sentada (cualquier cosa para evitar que tus piernas se flexionen hacia tu abdomen). El tiempo del parto se puede acortar con cualquier posición que emule la posición en cuclillas. Todo el mundo puede estar en una posición cómoda, incluso tu médico.

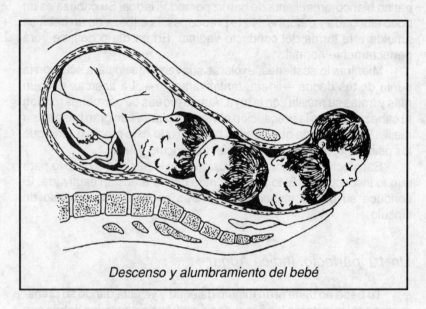

Descenso y alumbramiento del bebé

La pausa que refresca

Ya pasó. La proeza ha sido realizada. Tu bebé acaba de nacer. Te invade una sensación de alivio. Tu cuerpo está cansado pero estremecido. Cierras automáticamente tus ojos y haces una pausa. Te tomas un momento de quietud para decirle adiós a la que eras antes de sumergirte en la maternidad —al fin.

Ahora quieres saber si tu bebé está bien, si las partes cruciales están en los lugares correctos. Has compartido tu cuerpo con este pequeño extraño íntimo durante un tiempo que parecía para siempre y ahora quieres tener un conocimiento aun mayor. Mientras sostienes a tu bebé, fijas tu mirada en sus ojos. No te sorprendas si descubres esos ojos con el estigma de nuevos devolviéndote la mirada. Los bebés pueden ver muy claramente la primera hora de vida y lo que más aman es mirar caras.

213

Ten en cuenta que los bebés recién nacidos no son como aquellos que ves en las etiquetas de los frascos de comida para bebés. Los bebés recién nacidos son más azulados al principio que rosados, y desaliñados. Tu bebé recién nacido tiene sangre de la placenta y la pátina blanco-amarillenta de barniz por todos lados. Su cabeza es un poco elongada y deforme. No te preocupes; la cabeza de un bebé se amolda a la forma del conducto vaginal. En un día o dos, se verá perfectamente normal.

Mientras lo sostienes, exploras suavemente su cara sólo con la punta de tus dedos —ligera, tentativamente—. La acercas a ti aun más y frotas su mejilla con la tuya. Aunque ideas de gérmenes rondan tu cabeza, arrojas la precaución al viento y plantas un gran beso en su mejilla. No hay nada que puedas hacer. Todo este proceso es lo que los psicólogos conductistas llaman de vínculo y lazo.

Satisfecha por ahora tu curiosidad, se lo pasas a su papito para que lo inspeccione. Él lo alza y lo mira con la atención cautivada. Él conduce su propia inspección mientras comienza su proceso de vínculo.

Un 10 perfecto. Índice Apgar

Tu bebé no tiene ni un minuto de edad y ya está dando su primer examen. Al minuto y a los 5 minutos después de nacer, los bebés son evaluados por el método del índice Apgar. No es un test de coeficiente intelectual sino un test de la función cardiopulmonar, para ver cómo se está adaptando el bebé a la vida exterior. La mayoría de los bebés están en excelente forma y tienen un índice de 7 o más.

El médico partero usualmente da un puntaje más alto, el pediatra, uno más bajo, y la enfermera está más cerca de dar en el blanco. No te sientas mal si tu bebé no suma un 10 perfecto. Es casi imposible. Confórmate con un 9.

Oh, ¿dices que puedes ver? Gotas oculares

Durante años, el nitrato de plata fue la medida preventiva por una infección de gonorrea. El tratamiento de los ojos del recién nacido es un requerimiento del hospital y una ley en algunos Estados. Las parejas comenzaron a objetar la rutina porque no querían que la visión de su bebé se distorsionara en esa primera hora después de nacer. No querían que nada interfiriese en el contacto ojo a ojo. Algunos objetaron la supuesta parte que tenía la gonorrea. Las razones para la rutina parecían anticuadas e innecesarias.

Muchos hospitales están demorando el tratamiento profiláctico de modo que el bebé pueda tener esa mirada nítida hacia mamá y papá. Los ungüentos antibióticos han reemplazado el uso del nitrato de plata. La preocupación ahora es por la transmisión de la clamidia. La clamidia es un microorganismo que se encuentra en el cérvix de algunas mujeres. No produce síntomas en la madre, pero puede afectar los ojos del bebé al nacer. Dado que la clamidia es más habitual que la gonorrea, tiene más sentido usar el ungüento antibiótico.

Sensaciones divertidas

Mezclada con tus sensaciones de alivio y éxtasis, tal vez haya una pizca de decepción. ¿Cómo es posible que estés decepcionada si has salido airosa del parto y has tenido un bebé sano? Es lógico si querías una nena, y salió un varón. Si tuviste una nena pero es castaña en vez de rubia. Si planeabas un trabajo de parto sin medicación, pero hizo falta un poco. Las posibilidades son infinitas. Si decides verbalizar tu decepción, corres el riesgo de oír un coro de: "¡Agradece que tienes un hijo sano!". Eso puede ser cierto, pero no es el punto. Pasaste nueve meses fantaseando con este bebé: color de pelo, ojos, sexo. El bebé de tus sueños difícilmente sea como tu bebé real. Tenías ciertas expectativas respecto de tu trabajo de parto. Puedes estar un poco decepcionada si quieres. En un breve tiempo, el cuadro de tu bebé y trabajo de parto soñados desaparecerán, como lo hará la decepción.

Mientras tanto, tu cuerpo te recuerda lo débil que está. Es común experimentar escalofríos que estremecen tus extremidades. Tu enfermera amontona unas mantas sobre tu cuerpo mientras tus dientes castañetean. Nadie ha podido explicarse por qué tienes escalofríos. Probablemente la fatiga muscular, una leve baja de azúcar en la sangre y un descenso en la temperatura corporal, por la pérdida normal de sangre, sean los culpables. Tal vez sea simplemente tu cuerpo que salta de alegría porque no está más embarazado. Toma la razón que más te guste.

Cerrar el almacén. El tercer estadio

El tercer estadio del trabajo de parto es cuando se libera la placenta. Éste es el fin oficial del embarazo. Tan pronto como la placenta cae, el útero comienza a cerrar el almacén del bebé. Empieza a contraerse, ansioso por volver a su antigua forma. Es posible que tu médico haga que la enfermera te dé una inyección de oxitocina o agregue un poco a tu frasco IV si tienes uno, aunque los médicos concuerdan en que la mayoría de las mujeres no la necesitan. Si tu útero no queda firme y estás sangrando más de lo esperado, realmente ayuda. Si no estás sangrando mucho, sólo te da espasmos dolorosos que atacan cada algunos minutos, como los dolores del trabajo de parto. Podría ser que quisieras discutir la rutina de tu médico por adelantado para alcanzar un entendimiento. Si él siente que lo necesitas, grandioso. Si no, olvídalo.

Generalmente, en este punto te sientes tan eufórica que no le prestarás atención a tales detalles. No sientes la necesidad de sudar por cosas pequeñas. Simplemente quieres sentir satisfacción por un trabajo bien hecho.

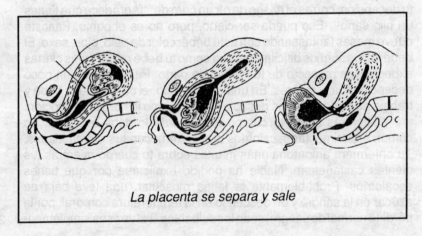

La placenta se separa y sale

Algunas rutinas y rituales más

Circuncisión

La circuncisión ha sido un rito tribal y religioso en diversas culturas durante siglos. La circuncisión consiste en remover todo o parte del prepucio del pene. Habitualmente, la mayoría de las circuncisiones se hacen por pedido de los padres. La proporción de complicaciones en un 1% se relaciona con la pérdida de sangre e infección.

Sobre la base de nuevos datos, que informan de una proporción mucho más alta de infecciones en el conducto urinario de los bebés no circuncisos, la American Academy of Pediatrics está reconsiderando su postura previa contra la rutina de la circuncisión. Probablemente esto no hará ninguna diferencia porque las razones para que

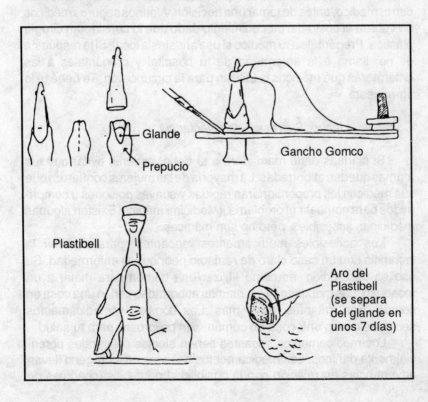

Glande

Prepucio

Gancho Gomco

Plastibell

Aro del Plastibell (se separa del glande en unos 7 días)

217

los padres hagan circuncidar a sus hijos no tienen nada que ver con cuestiones médicas; se basan en factores culturales.

Es posible sin dolor. La circuncisión a los recién nacidos es la única cirugía optativa realizada rutinariamente sin anestesia. Cualquiera que trate de convencerte de que no daña al bebé es obstinado, tonto, ciego y mentiroso. Es doloroso y muy estresante para el bebé —y para quien esté al alcance del oído mientras se hace.

Afortunadamente, muchos médicos están usando hoy en día anestesia local para realizar el procedimiento. Los estudios muestran que cuando los médicos usan anestesia local los bebés están tranquilos durante la circuncisión y no exhiben el típico comportamiento inquieto, irritable y llorón que se observa en los bebés no anestesiados.

Comenta todas las dudas que tienes respecto de la circuncisión con tu médico, antes de tomar una decisión. Algunos seguros médicos no cubren el costo del procedimiento dado que lo consideran cirugía plástica. Pregúntale a tu médico si usa anestesia local. Si la respuesta es no, llama a la enfermería de tu hospital y pregúntales a las enfermeras qué médicos la utilizan para la circuncisión. Tu bebé te lo agradecerá.

Contener la leche. Supresión de la lactancia

Si planeas darle mamadera a tu bebé, esperas evitar que tus mamas queden atiborradas. La mayoría de las mujeres confían en que sus médicos les proporcionarán rápidas y suaves pociones o comprimidos para combatir el problema. ¡Medicina mágica! Existen algunas medicinas accesibles, pero no son mágicas.

Los accesibles medicamentos "secantes" para suprimir la lactancia son un caso claro de remedio peor que la enfermedad. Su uso es desmedido: es como utilizar una bomba para matar a un mosquito. Los mosquitos y las mamas atiborradas tienen una cosa en común. Son irritantes, nada más. Las bombas y medicamentos secantes tienen una cosa en común: son peligrosos para tu salud.

Los medicamentos secantes tienen efectos colaterales potencialmente dañinos. Los medicamentos basados en estrógeno llevan advertencias en relación con la posibilidad de flebitis (coágulos de sangre en las piernas). La alternativa del estrógeno es la droga bromocriptina (Parlodel). Los médicos usan Parlodel para tratar desórdenes hormonales en las mujeres. Como efecto colateral, el Parlodel inhibe la lactancia.

El Parlodel debe ser tomado de 7 a 14 días. Los efectos colaterales son inaceptables. Además de tus otros dolores y molestias posparto, no necesitas náuseas, vómitos, dolores de cabeza, vahídos, más fatiga, diarrea o más espasmos. La incidencia de estos efectos adversos varía de estudio a estudio, pero los fabricantes citan un 28%. El Parlodel ha sido asociado con la hipertensión posparto, ataques de apoplejía y parálisis. Las mamas atiborradas pueden ser una molestia temporaria, pero no te incapacitarán. Piensa en eso.

La solución inofensiva

- Usa un sostén que te calce ajustadamente en todo momento.
- No estimules tus pezones.
- No ordeñes tus mamas.
- Toma aspirina o paracetamol para las molestias.
- No uses bolsas de hielo.

Si decidieras usar las drogas disponibles, ¿qué clase de resultado podrías esperar? Las drogas basadas en estrógenos sólo demoran la lactancia, no la detienen. Con Parlodel, puedes esperar de 18 a 40% de probabilidad de que vuelvan a atiborrarse después de que termines de tomar la droga. Dado que el Parlodel promueve la ovulación, necesitas usar un método confiable de control de natalidad.

Incluso los fabricantes de la droga están de acuerdo en que las mamas atiborradas no son un destino peor que la muerte. Es una situación que responde a unas simples medidas. Si tus mamas se llenan y se sienten como dos grandes montañas de granito situadas sobre tu pecho, toma una ducha caliente para aliviarte. La leche en tus mamas chorreará y eso aliviará el atiborramiento y la molestia. No se volverán a llenar si no las ordeñas ni estimulas tus pezones. En uno o dos días todo habrá pasado y terminado.

La experiencia de parto por cesárea

Cirugía centrada en la familia

Tomó un tiempo para que el personal hospitalario aceptara amablemente "forasteros" en las paredes sagradas de la sala de operaciones. La mayoría de los hospitales permiten ahora que los padres estén presentes durante el nacimiento por cesárea de sus bebés. Algunos incluso admiten otras personas de apoyo y videocámaras. Los tiempos han cambiado, para mejor.

La mayoría de los hospitales ofrecen clases de preparación de parto por cesárea para que las parejas tomen conocimiento del proceso y de la política hospitalaria. Averigua qué puedes esperar y qué no. Las reglas y los reglamentos varían de hospital a hospital. Es conveniente hacer recorridos hospitalarios, llamadas telefónicas, o asistir a clases para ver quién ofrece qué.

Prepararse

Ya sea planeado o no, el proceso de prepararte para tu parto por cesárea es bastante similar al del parto vaginal. Se afeita tu abdomen y, probablemente, parte de tu vello púbico próximo a la incisión. Un tubo de goma blanda y flexible (catéter) será colocado en tu vejiga para que no se infle con orina durante la cirugía. Ser cateterizada es sólo medianamente molesto cuando el tubo entra. Arde ligeramente, pero pasa en seguida. Se administra una IV. Generalmente tomas un antiácido para neutralizar tus ácidos estomacales. No se hace una sedación con narcóticos ni tranquilizantes. Tu médico y el anestesiólogo discutirán el procedimiento contigo y responderán todas tus preguntas.

Una vez que estás en la sala de parto, te acuestas en una camilla de operación con una bolsa de arena ubicada debajo de tu cadera derecha para evitar que el útero comprima tus vasos abdominales, lo que puede provocar una caída en la presión sanguínea. Una enfermera fricciona tu abdomen con una solución antiséptica que se siente fría. El anestesiólogo chequea diligentemente tu IV y te conecta con monitores de presión sanguínea, de pulso y cardíacos. Éste es un buen momento para practicar tus técnicas de relajación y visualización. Lo ideal sería que tu marido estuviese ahí para sostener tu mano y ayudarte a relajarte.

Anestesia

¿Prefieres estar dormida o despierta? Discute tus preferencias y opciones con tu médico y tu anestesiólogo. Una cantidad de factores deberían ser tenidos en cuenta porque cada tipo de anestésico tiene ventajas y desventajas. Por ejemplo, si deseas estar despierta para dar a luz, tu médico necesita tiempo para arreglar horarios con un anestesiólogo que sea competente y esté dispuesto a administrar esa clase de anestesia. La mayoría de los anestesiólogos están de acuerdo en dar un anestésico local, para que puedas estar despierta.

Psicológicamente, las ventajas de estar despierta son la posibilidad de compartir la experiencia con tu marido, ver a tu bebé en seguida y comenzar el proceso de vínculo. Estás en condiciones de hacer más rápidamente la transición del status de embarazada al de no embarazada. No hay lagunas en tu memoria.

Algunas mujeres, sin embargo, no quieren estar despiertas durante la cirugía. Si te sientes así, deja que tu marido esté presente en el parto de todas maneras. Él puede comenzar su vínculo con el bebé enseguida y aportar los importantes detalles de los eventos que has perdido. Algunas mujeres se encuentran con una distorsión temporal. Se van a dormir embarazadas y se despiertan ya no más embarazadas. Tienen grandes lagunas en el banco de la memoria, el síndrome Rip Van Winkle*. Necesitan algo para llenar los blancos. ¿A qué hora nació el bebé; cuánto pesaba; cuánto medía; cómo fue su índice Apgar? Si a tu marido no le interesa estar presente durante la cesárea, haz que una de las enfermeras te aporte esos datos.

Cócteles para dos. Anestesia total

Antes de que seas trasladada a la sala de parto, tu anestesiólogo comentará lo que va a pasar y responderá cualquier pregunta. Cuando estés lista para tu anestesia, el anestesiólogo comenzará con algo

---

* Rip Van Winkle es un personaje de fábula, muy vago, que se quedó dormido y se despertó veinte años después, cuando todo había cambiado (Nota de la traductora).

como pentotal sódico, que inmediatamente hace que tus ojos se cierren —sueño instantáneo—. El proceso es placentero. El pentotal no produce los sueños aterradores y psicodélicos que provocaba el éter. El pentotal atraviesa la placenta hasta el bebé, pero no en grandes cantidades, y el parto se realiza en pocos minutos. Tu próximo cóctel IV es un relajante y bloqueador muscular, porque la cirugía puede dificultarse si tus músculos están tensos y rígidos. La buena relajación es un requisito indispensable. Esta droga no atraviesa la placenta. El gas anestésico y el oxígeno van por un tubo por vía respiratoria colocado en tu garganta. El cóctel "bajativo" es generalmente óxido nitroso, para mantenerte cómodamente dormida e incapaz de recordar conscientemente la cirugía. Una vez que el bebé nació, un narcótico alivia el dolor después de que te despiertas.

Las ventajas de la anestesia total son fundamentalmente la velocidad y libertad de su administración. Si tu cesárea no era planeada o es una emergencia, el médico puede preferir anestesia total, que es más fácil y rápida y hace salir al bebé rápidamente. El mayor problema potencial es vomitar bajo anestesia, que es una posibilidad siempre presente, por el tiempo de vaciamiento gástrico demorado durante el embarazo.

Anestesia local

Dos anestesias locales comunes son el bloqueo espinal y peridural. Este tipo de anestesia te adormece de la cintura hacia abajo, dejándote despierta y alerta para el nacimiento de tu bebé. Aunque sientas una presión tirante durante la cirugía, no hay dolor. La náusea y los vómitos no son comunes. El efecto anestésico se disipa en una o dos horas y no tienes esa sensación atontada y dopada. El dolor posoperatorio puede ser controlado con un narcótico inyectado en el espacio peridural (morfina peridural).

Hay varias contraindicaciones para el uso de anestesia local. Puede bajar tu presión sanguínea (hipotensión). Si estás sangrando, empeora una situación ya de por sí mala. Si hay anormalidades en la columna vertebral, puede no ser posible colocar la aguja apropiadamente. Si la mujer es obesa, colocar la aguja en el espacio apropiado puede ser dificultoso.

222

Bloqueo espinal

El bloqueo espinal provoca un confiable y predecible alivio del dolor, habitualmente minutos después de su administración. Una delgada aguja es colocada entre las vértebras e insertada dentro del conducto vertebral. Las complicaciones son infrecuentes, pero un dolor de cabeza posterior a un bloqueo posespinal puede resultar del derrame de fluido espinal del sitio de punción. Si no es tratado antes, el dolor de cabeza mejorará hacia el tercer día y estará ausente al quinto día. Se emplean diferentes métodos para tratar este dolor de cabeza. Estar acostada boca arriba en la cama por 8 horas no es particularmente efectivo. Un procedimiento conocido como "parche sanguíneo" brinda alivio: una pequeña cantidad de la sangre de la paciente se inyecta en el mismo espacio que la inyección espinal. Cuando funciona, el alivio es casi siempre inmediato. Una faja abdominal también ayuda. La incidencia de este dolor de cabeza disminuye significativamente cuando se usa una aguja de poco calibre.

Bloqueo peridural

El bloqueo peridural funciona de manera similar al espinal, pero no necesita entrar en el conducto vertebral. Los dolores de cabeza no son en general un problema, a menos que la aguja se coloque inadvertidamente en el conducto vertebral.

El bloqueo peridural tiene varias desventajas. Incluso con una peridural diestramente administrada, el alivio del dolor puede ser impredecible, con algunas áreas no anestesiadas del todo. En manos expertas, las probabilidades de fallar rondan en un 3% —razonablemente bajas.

Muchos hospitales han trasladado el parto por cesárea de la sala de operaciones a la unidad de obstetricia. El equipo de trabajo de parto y alumbramiento está entrenado para hacer cesáreas. Es una buena sensación tener contigo al equipo que sabe todo acerca de bebés a lo largo de toda la experiencia.

El parto por cesárea no es en general una primera elección para la mayoría de las parejas, pero de todos modos puedes tener una experiencia de parto feliz y satisfactoria. Trata de confrontar lo que realmente quieres con lo que es posible. Si eres capaz de establecer las opciones por adelantado, es probable que tengas más de lo que quieres.

Nunca es demasiado tarde

Se ha escrito una tonelada acerca de vínculo, ligazón, arrastre, monopolización, entrampamiento (lo que ocurre si no puedes pagar tu cuenta de hospital). Muchas parejas tienen la noción errada de que si no pueden afrontar todos los cambios de los vínculos descriptos anteriormente, están condenados a una relación de segunda clase con su bebé. Se supone que un vínculo es una relación única entre dos personas, que persiste y crece con el *tiempo*. Hay una vasta diferencia entre una vaca que abandona su ternero si pierde aquellos "sensibles" minutos inmediatos después del parto y una humana que los pierde por la razón que sea, por las circunstancias en las que la interacción temprana no es posible, como cuando tienes una anestesia general con tu cesárea o te vas a dormir inmediatamente después de un largo y difícil trabajo de parto. Simplemente haces ajustes.

Si el destino interviene y tienes que comenzar el proceso de conocimiento unas horas más tarde de lo planeado, recuerda que *todos los rituales importantes y necesarios que atraviesas para llegar a conocer y amar a tu bebé aún van a ocurrir.* Ligarse debería ser sinónimo de amar y el amor nunca es estático; crece y cambia a través de los años. Los eventos de un día no van a alterar para siempre la posibilidad de desarrollar una relación amorosa con tu hijo. Analiza el evento y la experiencia en perspectiva.

Angustia positiva

Si tienes tu corazón y tu mente puestos en un parto vaginal y terminas con una cesárea, indudablemente ambos tendrán que resolver fuertes sentimientos. Los maridos comparten, hasta cierto grado, los mismos sentimientos que sus mujeres. ¿Qué hay con la confusión, el enojo, la decepción? Y no nos olvidemos de la culpa. Puedes sentirte de algún modo descolocada porque no pudiste hacerlo de la manera "normal". Te preguntas por qué tuviste que pasar por todas esas horas de preparto. ¿Por qué tu médico no empezó por hacerte una cesárea en vez de someterlos a ambos a toda esa miseria? No siempre es posible decir por adelantado quién podrá parir por vía vaginal. A medida que el trabajo de parto progresa, aunque sea lentamente, la política habitual es mantener esa expectativa. Sólo cuando el cérvix deja de dilatarse, o la cabeza del bebé no desciende, el parto por cesárea se convierte en una alternativa. La mayoría de los médicos se encuentran entre una roca y un lugar difícil, pero siempre se hace todo el esfuerzo posible para evitar la cirugía mientras que tú y el bebé no estén en peligro.

Comenta tus sentimientos irresolutos con tu médico o cualquier otra persona que pueda ayudarte a superar tu decepción. Es importante para el futuro poner la experiencia en perspectiva. No quieres que un asunto inconcluso arruine la alegría de la maternidad o vuelva a frecuentarte con el próximo bebé.

Recobrarse

No te sorprendas si por al menos el primer par de días después de tu cesárea sólo eres capaz de generar breves episodios de euforia por la maternidad antes de volver a caer exhausta. Estás ocupada tratando de arreglártelas con las puntadas en tu abdomen y yendo y volviendo al baño. Tu impulso natural e instintivo es dejar que tu cuerpo se recobre adecuadamente antes de que puedas arrojarte de cabeza a ser la súper madre o la común mamá tradicional. Date un descanso. Si al principio pasas mucho tiempo concentrada en tu cuerpo dolorido más que en tu bebé, está bien, eres normal.

¿Cómo logras el alivio?

Hay muchas opciones para combatir el dolor posoperatorio actualmente. Antes solías depender de las enfermeras para que te trajeran inyecciones regulares contra el dolor cada 3 horas el primer día para mantenerte cómoda, pero ahora puedes tener la misma analgesia controlada por el paciente (ACP), mencionada anteriormente en la sección sobre trabajo de parto. Puedes manejar el interruptor de tu unidad ACP y tomar el pulso o matar el dolor cuando lo necesitas. Si tuviste una peridural, morfina o fetanol pueden ser inyectados dentro de la tubería; los efectos pueden durar 24 horas o más.

Pregúntale a tu médico acerca de esas opciones antes de una cesárea, si es posible.

Como sea que consigas aliviar el dolor, los narcóticos no afectarán a tu bebé porque la cantidad de narcótico que pasa a la leche de tus mamas es insignificante.

Una vez en casa, definitivamente necesitas ayuda. Si tratas de hacerte cargo de todo, te encontrarás llorando tan a menudo como el bebé. Tienes las mismas adaptaciones y tensiones posparto, sólo que magnificadas y más intensas. No vas a recuperarte tan rápidamente como lo harías de un parto vaginal; pero te vas a recuperar.

GUÍA DE PREPARTO

Trabajo de parto temprano (1-3 cm de dilatación)		
Cambios físicos	**Emocionales**	**Actividades y apoyo**
Contracciones leves, irregulares, de corta duración (30-40 seg.).	Ansiosa pero excitada.	Bebe líquidos, come liviano, continúa tus actividades normales.
Calambres y dolor de espalda lumbar.		Practica ejercicios de relajación. Espera para comenzar con los ejercicios respiratorios. No te concentres en las contracciones.
Puede haber aparición de sangre y diarrea leve.		Visualiza el cérvix madurando y afinándose. Usa los puntos de acupresión (PA) 2, 3, 5, 6, 9. Comienza con el PA 1 cuando sea necesario. Llama al médico cuando las contracciones sean cada 10 minutos para las multíparas y cada 5 minutos para las primíparas.

Trabajo de parto activo (4-7 cm de dilatación)		
Cambios físicos	**Emocionales**	**Actividades y apoyo**
Contracciones cada 2-5 min. Más intensas. Duran 50-60 seg. La aparición de sangre puede aumentar.	Ansiosa por el progreso.	Cambia de posición a menudo. Mantente erguida lo más posible. PA 1 y 8 con cada contracción.
Puedes romper bolsa	Tendencia a estar tensa.	Visualiza al bebé empujando el cérvix; el útero trabajando bien; tu lugar calmo y apacible; todo funcionando en armonía y fluyendo. Puedes usar el toque terapéutico después de cada contracción.
	Necesitas aliento.	Elógiala. Haz que el médico o la enfermera le digan cuánto está progresando.
	Más introvertida, menos conversadora.	Habla suavemente. Emite frases simples y breves.
	Más dificultad para mantenerse calma y serena. Muy irritable si la molestan durante las contracciones.	Suspende las actividades de atención durante las contracciones. PA 5 y 11 para recuperar la calma después de las contracciones. PA 2 si pierde el control.

Trabajo de parto activo (4-7 cm de dilatación)		
Cambios físicos	**Emocionales**	**Actividades y apoyo**
Puede hiper-ventilarse.	Puede sentir pánico.	Alterna entre ejercicios 1 y 2. PA 5 para aflojar la respiración y aliviar la ansiedad. PA 12.
Dolor con las contracciones.	Preocupación por no poder con las contracciones.	PA 1 y 8 con las contracciones.
Dolor en caderas y muslos. Necesidad de orinar.		PA 10. Ayúdala a ir al baño cada hora. Pídele colaboración a la enfermera. PA 7 para estimular la micción.
Los labios pueden cuartearse.		Aplícales glicerina. Ofrécele compresas de hielo.
Si progresa despacio o se detiene, desaliento.		PA 4 para aumentar las contracciones. Camina y estimula los pezones en forma guiada. Discute otras opciones con la enfermera o el médico (oxitocina o medicación).

Transición (10 cm de dilatación)		
Cambios físicos	**Emocionales**	**Actividades y apoyo**
Contracciones cada 1-2 minutos. Duran 60-90 seg. en su máxima fuerza e intensidad. Puede sentir intensa presión en el perineo e impulso de pujar.	Puede volverse irracional y paranoica. Es común que quiera medicación. Puede sentirse abrumada por las sensaciones físicas.	Continúa el masaje PA. Ejercicio de respiración 3 para evitar que puje tan pronto. Usa directivas positivas. Dile "Jadea" y no "No pujes". Recuérdale que este estadio es corto. Prueba una posición semisentada para ayudar al bebé a bajar.
La cara enrojece.		Aplícale paños fríos en la cara.
Las piernas pueden acalambrarse.		Agarra las puntas de los pies y empuja las yemas de los dedos hacia atrás para estirar los músculos de las pantorrilas. Mantén la posición hasta que el calambre se alivie.
Puede tener náuseas.		Usa PA 13 y agarra la vasija para vómitos.

Cambios físicos	Segundo estadio Emocionales	Actividades y apoyo
Contracciones más fuertes, pero siente un poco de alivio del dolor.	Exhausta y eufórica.	Adopta la posición en cuclillas o acostada de lado.
Siente presión y la necesidad de pujar.	Encuentra energía para pujar.	Puja con impulso.
El perineo se abulta cuando la cabeza del bebé desciende. La coronación ocurre cuando ves parte de la cabeza del bebé.	Apacible y adormecida entre contracciones.	Visualiza al bebé bajando con cada pujada. Siente tu perineo relajado y complaciente. Piensa, calma y confiada. PA 5, 6 y 11 entre contracciones.

17

La experiencia posparto

Y el bebé suma tres

¡Lo hiciste! Has sobrevivido al parto. Tu premio, emblema de honor y condecoración viviente de guerra, es tu bebé. Probablemente tu estado de ánimo predominante sea la euforia. Estás en una luna de miel con tu bebé y la idea de la maternidad. Esto va a ser grandioso, piensas. Psicológicamente, lo que sientes se llama "asimilación" o aceptación del nuevo rol materno.

Los primeros días

Al principio te concentras en ti misma y en tu cuerpo fatigado por la batalla. Estás decepcionada por no haber bajado más de peso hasta el momento. Te das cuenta de que la ropa "de civil" que trajiste para usar en casa desde el hospital no te entrará. Todavía pareces embarazada de cuatro meses. Algunas mujeres (muy pocas) se las arreglan para verse espléndidas en dos semanas; otras todavía están esperando que todo vuelva a su forma original seis o incluso doce meses más tarde. Comienza a caminar, levantar pesas, hacer los ejercicios del Apéndice 1 y cruza los dedos.

Fisiológicamente tu cuerpo está comenzando su travesía de seis semanas para retornar a su estado de preembarazo. Además de la pérdida inmediata de peso después del parto, has perdido alrededor de 2 1/4 kilos más de peso en agua. Los dolores después del parto te indican que tu útero se está achicando más. Tu flujo vaginal al principio es como el de un período normal y luego vira hacia una descarga clara alrededor del décimo día. Sin embargo, puedes notar una creciente pérdida de sangre roja brillante cuando aumentas tu actividad y después de amamantar. No te preocupes mientras no empapes una toalla higiénica durante una hora. Podrían aparecerte uno o dos coágulos de sangre cuando te levantas. La sangre se asienta en tu vagina y se coagula; cuando te paras, cae.

Durante los primeros dos días más o menos, pasarás por una recuperación tanto psicológica como física. Te encuentras con un intenso deseo de juntar las piezas de tu experiencia de parto. Relatas una y otra vez la historia de tu trabajo de parto y tu alumbramiento a cualquiera que te escuche. Es común que en las primeras semanas de posparto sueñes que todavía estás embarazada y volviendo a pasar por la experiencia de dar a luz. Los sueños reflejan tus temores dejados atrás. Tu bebé aparece y desaparece en el sueño. Este importante proceso te ayuda a tender un puente entre lo viejo y lo nuevo.

En el hospital, pasas el tiempo revisando a tu bebé para asegurarte de que todo está perfecto. Te inquietas por una magulladura, un rasguño o una cabeza que aún tiene la forma de una banana. En el momento en que vayas a casa, todo habrá vuelto a la normalidad. No hay de qué preocuparse.

Quieres identificar a tu bebé como tuyo buscando similitudes familiares. Es muy parecido a su padre o tiene los ojos de la tía Gertrudis. Has comenzado el proceso de "ligazón-atadura", que ocurre en forma intermitente y continúa durante los seis meses siguientes. En este preciso momento, *sabes* que todo va a ser grandioso mientras te arremangas y te preparas para sumergirte de cabeza en la maternidad. Tu pequeña muñeca no tendrá ningún problema de alimentación ni cólicos y tú no te quedarás despierta muchas noches. Bueno, conserva esos pensamientos —puede que te resulten útiles más adelante.

¿Dónde está ese sentimiento amoroso?

Nos han enseñado a creer que la maternidad es un instinto. En el momento en que el bebé ha nacido, esperamos que un amor maternal emane desde las profundidades primitivas de nuestro ser para este pequeño extraño que ahora nos pertenece. En realidad no sucede de esa manera.

Muchas mujeres se sienten secretamente culpables porque no tienen aquel inmediato sentimiento de amor. Para ser honestos, pocas mujeres lo tienen. Lleva tiempo construir una relación y amar a alguien, incluyendo a tu bebé. Esto corre para cada uno de tus bebés.

Para la mamá por segunda vez o más, su mayor temor es que no tendrá el suficiente espacio en su corazón para compartir con su nuevo bebé. Ama mucho al hijo que ya ha tenido, es difícil para ella concebir que podría amar tanto a otro bebé. Pero al fin los sentimientos llegan, gradual y naturalmente, como si fuera por instinto.

La situación de los hermanos

Cada madre agoniza por la reacción potencial de los otros chicos de la familia con respecto al recién venido. ¿Qué puedes hacer tú para facilitar el camino?

Los chicos tienen sus propios y particulares comportamientos de vínculo con los bebés nuevos. Inicialmente, tienden a estar muy deprimidos, al menos hasta que se vuelvan a unir contigo. Ten en cuenta de que tú eres aún la persona más importante en su mundo. Necesitan que les des la seguridad de que todavía los amas y de que estás bien. Al principio, estarán más pendientes de ti que del nuevo hermanito o hermanita. Préstales atención completa.

La conducta de reconocimiento más común entre los chicos es mirar al bebé y luego sonreír. Algunos lo tocan brevemente con las puntas de sus dedos. Los chicos menores de siete años generalmente quieren tocarle primero la cabeza. Los de más edad prefieren empezar por tocarle los brazos y piernas. Al comienzo los chicos están más interesados en tocar que en hablar. Otras conductas de vínculo son besar al bebé, verbalizar que aman al bebé y referirse a él como a su hermana o hermano. Pegar también es una conducta común.

Sacarle fotos al bebé, hablar de un parto doloroso y forzar al chico a tocar al recién nacido atrasa el vínculo con el bebé. Los hermanos también se ponen ansiosos si los deberes o procedimientos del cuidado del recién nacido lo hacen llorar.

Los chicos que han experimentado alguna clase de pérdida previa, como la muerte de un abuelo o del padre o un divorcio, tardan más en establecer un vínculo. Es posible que no respondan inmediatamente al nuevo bebé y que las típicas conductas de vínculo se vean demoradas. Estos chicos necesitan amor, tiempo y seguridad extras.

Dale a tu hijo permiso para tocar al nuevo bebé, pero no insistas en que lo haga. Los chicos necesitan interactuar con el nuevo bebé a su propio ritmo, con el apoyo de padres pacientes. No puedes acelerar las cosas.

Aquel "blues del bebé"

Seguramente has oído hablar del famoso "blues del bebé". No es una canción popular del color de los ojos de Paul Newman*. Describe el gran decaimiento después de la euforia —depresión en medio de la alegría—. Cada mujer se encuentra con estos sentimientos en algún grado alrededor de los primeros diez días después del parto. Veamos qué pone una barrera a tu fase de luna de miel de la maternidad. Psicológicamente, debes arreglártelas con los dolores posparto, ardor y/o picazón perineal, flujo vaginal, mamas atiborradas, fluctuaciones hormonales, restablecimiento de la función normal del intestino y la vejiga y molestias musculares. Tu alguna vez adecuada función motriz parece haberse tomado vacaciones. Te sientes como el ser más torpe, desaliñado y desequilibrado del mundo. Eso no hace mucho por tu propia imagen.

Los traumas emocionales son muy comunes los primeros diez días después del parto. Te sientes incapaz de amar y ser amada. Sobreviene la apatía y piensas en lo cansada que estás. A la segunda

---

* Juego de palabras con los significados de la palabra *blue*, azul, y *blues*, estilo de jazz, de matiz melancólico, derivado de las canciones de los negros del sur de los E.E. U.U. *Blue* significa también melancólico. (Nota de la traductora.)

semana en casa, sobreviene una sensación de aislamiento. Descubres que no te conmueve tanto alzar a tu bebé como en los primeros días. Lo tienes cerca, pero él pasa más tiempo en su moisés. Este patrón puede continuar hasta que él se vuelve lo suficientemente encantador como para tentarte de pasar más tiempo acunándolo nuevamente. Reconciliar tus expectativas optimistas de maternidad con las realidades que enfrentas no es una tarea fácil. ¡Hay una esperanza! Afortunadamente, esta fase sombría no dura demasiado para la mayoría de las mujeres.

Un pequeño porcentaje de mujeres (del 8 al 12%) experimentará una depresión posparto completa, diferente de aquel blues del bebé. Con la depresión posparto, tus habituales síntomas de irritabilidad, pérdida de interés en tu bebé, disturbios en el sueño, pérdida de apetito, fatiga y sentimientos de inutilidad son como un agujero negro. Te parece que no puedes ver la manera de salir. Si experimentas días "blue" continuamente por al menos 2 semanas, sin un fin a la vista, llama a tu médico.

¡Auxilio!

Tu deseo de ser Supermamá, la Esposa Maravilla y la Señora Limpieza probablemente supera tu energía disponible. No te quedes atrapada en la trampa de intentar ser todas las cosas para todas las personas a expensas de ti misma. En las primeras semanas, tu cuerpo está intentando recuperarse. Necesitas mucho reposo en un momento en que apenas tienes la oportunidad de conseguirlo. Toma una ventaja inicial evitando la fatiga, tu peor enemigo posparto. Recuerda, la fatiga magnifica cualquier otro problema que tengas durante tu ajuste posparto. Pretende que eres un general de cinco estrellas haciendo planes para la invasión del día *D*. Quieres ganar esta campaña —no terminar como una bomba fundida al borde del agotamiento.

Antes de dar a luz, prepara por adelantado todas las comidas que puedas y congélalas. Dile a la(s) abuela(s) que si realmente te ama(n), agregue(n) algunas delicias para tu almacenamiento en el freezer. Investiga las mejores rotiserías para un uso futuro. Haz una lista de todos aquellos mandados que necesitas que estén hechos aquellas primeras semanas en casa y asígnalos a amigos o parientes dispuestos. Diles a tus amigos que no quieres más mordillos ni sonajeros; que quieres como regalo garantías de cuidado del bebé gratuitamente.

Si puedes afrontarlo, contrata a una señora para la limpieza. Asígnale algunas tareas domésticas a tu marido. Dile que le das la oportunidad de revivir sus días en el servicio militar; ponlo a cargo de las letrinas, por ejemplo. Busca a una adolescente desesperada; las adolescentes están acostumbradas a trabajar por un pago mínimo. Deja a un lado las tareas no esenciales. Si continúas planchando la ropa interior de tu marido, ¡necesitas ayuda profesional!

No hagas ningún cambio fundamental en tu vida, como una mudanza, cambio de empleo, o dejar que el tío Billy venga a quedarse uno o dos meses. Planea por adelantado reducir las visitas. Extiende tu plan del día *D* a cualquiera que sospeches que acampará junto a tu puerta. No quieres tener que esconderte en el baño mientras papá intenta burlar las intromisiones. Establece invitaciones, por adelantado, con fechas específicas, de modo que los amigos puedan saber cuándo pueden verte. Déjalos saber tu horario de descanso y ponte firme en eso. Plantear las reglas ahorra tiempo y sentimientos difíciles luego.

Necesitas el soporte emocional de amigos y de otras madres en tu mismo barco. Averigua acerca de grupos de apoyo para nuevos padres en tu comunidad. Establece una buena relación con la enfermera del consultorio de tu médico, de modo que puedas llamarla cuando necesites que te aconseje.

La privación del sueño es un asesino real, que estropea tu humor y tu capacidad de arreglártelas con las demandas acrecentadas sobre tu tiempo y energía. Descansa cuando tu bebé duerme. Las tareas domésticas pueden esperar.

En cierto punto puedes pensar que matarías alegremente por un poco de sueño ininterrumpido. Oscuras sombras se entrometen en tu escenario de sueño si papito no parece interesado en el alimento de las 2 de la mañana. Tu furia por su actitud no comprometida puede convertirse en un campo fértil para el resentimiento y la falta de armonía futura. Para citar a mi diplomática amiga sureña, Miss Judy: "Porque, mi amor, no me vuelvo loca ¡Ya lo estoy!". Realmente tienes que repartir esa carga. Hablen uno con el otro y...

236 Consigue que papá se involucre desde el principio. Algunas

compañías les dan a los nuevos padres licencia por paternidad. Averígualo o haz que se tome un tiempo de vacaciones. No acapares al bebé; deja que papá ayude. Cuanto más participe en el cuidado del bebé, más confianza tendrá en su nuevo rol. Necesita un entrenamiento para el trabajo. Puede hacer todo lo que tú haces, excepto amamantarlo, y puede haber una forma de solucionar eso también. Para aquellas comidas en mitad de la noche, él puede ir a buscar al bebé, cambiarle los pañales y traértelo a la cama. Él puede mimarlos a los dos y vigilar al pequeño cuando está mamando. Si estás realmente cansada, puedes dormir mientras tanto. Están juntos en esto.

Establece un tiempo aparte para ti misma todos los días. Sal de la casa, aunque sea simplemente para dar un breve paseo mientras alguien cuida al bebé. Continúa con tus ejercicios de relajación y meditación. Haz que tu marido te masajee los pies y revise los puntos de acupresión; los masajes son beneficiosos en todo momento. Cambia los papeles y dale un tratamiento a él; él también necesita que lo mimen.

Escaparse

Después del primer mes, la nube oscura sobre tu cabeza desaparece a medida que abandonas la apatía y la depresión. Quieres saber qué está haciendo el mundo. Quieres conversación. Sientes el impulso de vestirte bien: ¡cenas, bailes, películas, movimiento! No puedes esperar para salir.

¿Así que cómo puede ser que cuando estás afuera, pasas todo el tiempo pensando en tu bebé y extrañándolo? Tú y tu marido tienen un ataque de culpa por ser tan autoindulgentes. Vuelan a casa temprano para buscar el perdón del bebé. Es otro mojón en el camino de la paternidad. Ambos están atrapados.

Tu libido renguea

No pasará mucho tiempo antes de que tu marido esté ansioso por activar la llama de tu calentador sexual para conseguir que aquel antiguo fuego vuelva. El romance está en el aire y él tiene aquel brillo en sus ojos. ¿Cuándo puedes dejar que comience el partido?

Los médicos difieren en el tiempo que deberías esperar antes de retomar el coito. Pocos aprueban el viejo límite de las seis semanas. Algunos aconsejan esperar hasta que cicatrice la episectomía, y otros meramente sugieren que un caballero espera hasta que la episectomía está arreglada. En realidad eso no importa porque la mayoría de las parejas esperan alrededor de tres meses antes de rendirse a la tentación. Adelantarse a sacar el arma los hace sentirse un poco culpables y diabólicos, pero excitados. Una palabra de advertencia: si volver a quedarte embarazada en seguida no es una prioridad en tu lista, usa alguna clase de control de natalidad. Preservativos y óvulos son un buen método temporario. No cuentes con el amamantamiento como resguardo seguro, porque no lo es. Consulta el Apéndice 2, "Pautas anticonceptivas".

A pesar del entusiasmo de tu marido y el visto bueno de tu médico, puedes descubrir que tu libido se esconde. Es bastante normal estar algo vacilante en cuanto a retomar el coito. Por un par de semanas o hasta tres meses de posparto, es posible que no respondas a la estimulación sexual tan rápida o intensamente como antes. Aun cuando tu respuesta vuelva a pleno, puedes sentirte débil, con el cuerpo cansado y todavía un poco recelosa. Maximiza tu posibilidad de un *rendez-vous* exitoso haciendo una cita con tu marido. Elige el momento del día en que estés menos cansada. Encarga el cuidado del pequeño a amigos comprensivos, vecinos o parientes por unas horas, de modo que tú y tu marido puedan recuperar la intimidad.

Ocasionalmente, algunos hombres encuentran que su sexo se descarrila después de observar el nacimiento de su bebé. No pueden sacarse el cuadro de su mente y esto interfiere en su capacidad de actuar sexualmente. Si esta eventualidad perturbadora le ocurre a tu marido, aliéntalo para que hable con un profesional calificado que pueda ayudarlo constructivamente a encarar y resolver sus sentimientos.

Si aún no estás segura de si tu perineo está suficientemente cicatrizado, algunas sugerencias pueden ayudarte a probar antes de sumergirte en la pileta. Haz que tu marido introduzca suavemente un dedo en tu vagina y lo haga rotar para encontrar posibles áreas irritadas antes de proceder con el evento real. Si puede hacer entrar

238

dos dedos con comodidad, el coito no debería ser doloroso. Después de la penetración, procura relajar aquellos músculos de tu perineo. Si estás amamantando, usa algún lubricante para contrarrestar la sequedad. Prueba con las posiciones lado a lado, tú arriba para controlar la profundidad de la penetración. Si consideras que es un poco demasiado pronto para retomar el coito, saca la valija de trucos que armaste mientras aún estabas embarazada. ¡Sé loca y salvaje! Imagina que estás de vuelta en el colegio secundario y represéntalo. O como dicen los manuales de sexo, "practica la estimulación mutua manual u oral de los genitales". Todavía puedes recapturar el romanticismo y la intimidad que ambos necesitan en este mismo momento.

Las buenas nuevas son que una vez que tu respuesta y tu vientre vuelven a la normalidad, puedes tener orgasmos más intensos que nunca, debido al "efecto embarazo". El incremento del flujo sanguíneo que aún circula en tu pelvis puede elevar las sensaciones eróticas. Tu marido puede pensar que tiene una tigresa entre sus manos.

¿Hombre macho o señor mamá?

Durante "tu" embarazo, probablemente pensaste mucho en tu relación con tu propio padre, ya fuera angustiante o regocijante. En cualquier caso, te preguntas si puedes ponerte en el nivel de la idea del padre ideal que deberías ser. El padre no es un espectador deportivo. Hasta ahora, en el partido de la paternidad, has estado en el banco de suplentes. Ahora es tu oportunidad de hacer el tiro inicial.

El concepto de procreador ha sufrido una verdadera metamorfosis. Los valores y las expectativas han cambiado. Entonces, ¿qué hacer? ¿Los hombres reales cambian pañales y alimentan bebés? ¡¡Absolutamente!! Muchos hombres que no temen una vida riesgosa y se despedazan en una cancha de fútbol, pueden encontrar muy intimidante a un pequeño bebé. ¿Cómo alzas a un bebé? Como una pelota de fútbol. Acunas bebés de la misma manera, y no es menos peligroso.

Puedes superar tu temor de manipular a tu bebé antes de que nazca. Organizaciones comunitarias ofrecen clases de cuidado de bebés. Puedes aprender fácilmente a bañarlo, cambiarle los pañales y hacer masaje infantil, si necesitas ayuda. Practica con los bebés de tus amigos. No puedes amamantar, pero puedes tener muchos otros contactos significativos con tu bebé. Compra un cochecito para llevarlo a pasear. Haz una rutina de fin de semana de darle un masaje. Pide prestada la mecedora, arrímate a él y háblale. Comienza a vivir esa imagen mental que tienes de lo que debería ser un papá. Cuanto más te involucres en el cuidado de tu bebé, más confianza adquirirás... y más lo disfrutarás.

Enfrentar la paternidad

Las primeras semanas en casa son estresantes para ambos. El foco puede estar puesto en el bebé y la mamá, pero tú necesitas algunas palabras amables y un poco de apoyo.

Esa maravillosa mujer que cautivó tu corazón y te despojó de tus miserias, temporariamente te ha dejado librado a tu suerte. Pensaste que las cosas volverían a la normalidad después del parto. Añoras aquellos románticos días del ayer.

Te sientes como el "Extranjero Solitario". Podría ser que te preguntaras en qué te has metido.

La madre de tu hijo llora con facilidad y probablemente esté inconsolable acerca de su figura actual. Necesita seguridad de que tú todavía piensas que es atractiva. Está deprimida, cansada y preocupada por el bebé. Tú sientes que la privación sexual se ha convertido en un modo de vida. La crisis es temporaria. Puedes facilitar mucho las cosas para todos ustedes anticipando la ayuda que puedes dar.

Decide, por anticipado, qué deberes de cuidado estás dispuesto a brindar y eres capaz de afrontar. Es muy importante alcanzar un acuerdo antes del parto, cuando ella está tranquila, coherente y racional. Si no se comunican con claridad las mutuas expectativas, pueden alborotar el avispero. Tu disposición, paciencia e influencia estable redundarán en posteriores beneficios. Cuanto más ayudes con el trabajo de la casa y con tu bebé, menos de ese "blues del bebé" experimentará ella. Ella no olvidará que tú estuviste ahí cuando realmente te necesitó.

Charla sobre el bebé

Están en casa y listos para comenzar el trabajo como padres indiscutibles. Cuando te das cuenta de todo lo que el oficio implica, tu mente da vueltas y tus rodillas se debilitan.

También descubres que tu gran vínculo con tu obstetra se ha desplazado al médico de tu bebé. No eres caprichosa, sólo pragmática. Para sumar a la confusión, todos los consejos bien intencionados que tus amigos y tu familia te dieron cuando estabas embarazada se duplican ahora que son padres. Aférrate a tu razón escuchando a tu pediatra y tus propios instintos. A medida que tú y tu bebé se vayan conociendo, encontrarás su propia rutina y la manera de hacer las cosas. Recuerda que lleva algo de tiempo y experiencia cruzar ese puente de aprendiz a padre experto. Es un mundo totalmente nuevo y tienes mucho que aprender. Date tiempo.

Aquí, algunas reglas básicas e información al día, que te ayudarán a evitar bastante de la "agonía" y a disfrutar más del "éxtasis" de la paternidad las primeras seis semanas en casa. Los siguientes bocadillos te servirán de referencia primaria hasta que encuentres un libro específico sobre bebés.

Pañales

Tus opciones son los pañales de tela o los descartables. Hay algunos pros y contras para considerar acerca de cada método.

Los descartables te enganchan por su practicidad, pero tienen unas pocas desventajas que podrías querer considerar. Están hechos con una lámina posterior plástica impermeable y un revestimiento mullido de pulpa de madera, ambos no biodegradables. No son entonces tan descartables como nos hacen creer. Están lejos de ser reciclables. Agregan 38 millones de kilos de materia fecal bruta a nuestros sitios de relleno de tierra cada año; el 30% de la basura no biodegradable viene de pañales descartables. Es suficiente para volver locos a los ecologistas.

En un nivel más personal, los descartables causan tres veces más sarpullido que los pañales de tela, por su superabsorción y revestimiento plástico altamente efectivo: el plástico retiene el calor y promueve el crecimiento de bacterias. Tú sigues seca, pero el bebé sigue mojado. Si decides usar descartables trata de encontrar una marca que no tenga elástico en la cintura, para garantizar la mayor circulación de aire posible.

Además, los descartables son muy caros comparados con el servicio de pañales. Ten en cuenta esto a la hora de comprar, antes de ser seducida por el factor conveniencia.

Hay dos formas de arreglárselas con los pañales de tela: hacerlos tú misma o el servicio de pañales. La forma más económica es hacerlos tú misma. Necesitas al menos tres docenas para comenzar, salvo que quieras pasarte todo el tiempo junto al lavarropas y el secarropas. He aquí cómo hacerlo tú misma:

- Compra una pinza de brazo largo para limpiar los pañales sucios en el inodoro y un broche para ropa, acolchado, para tu nariz.
- Pon los pañales en un recipiente plástico con una solución de agua y algún jabón antiséptico que corte el olor y ayude a matar las bacterias.
- En el día de lavado, vacía el recipiente plástico del baño. Una carga promedio no debería exceder los veinticuatro pañales. Primero extrae el agua sucia no escurrida. Usa un jabón suave o detergente con un mínimo de aditivos. Haz un lavado *caliente* y un ciclo de enjuague *tibio* con mucha agua.
- Seca los pañales a la luz del sol o con calor elevado en el secador durante 45 minutos, para ayudar a matar las bacterias. Date cuenta de que no puedes esterilizar pañales de la forma en que el servicio de pañales lo hace, porque tu agua corriente y las temperaturas de secado no son suficientemente calientes.

El servicio de pañales es una buena y civilizada alternativa. Todo lo que haces es poner los pañales sucios dentro de la valija provista —ni siquiera tienes que descargar la suciedad de los pañales en el inodoro—. El servicio lavará, secará y te entregará pañales limpios y esterilizados en la puerta de tu casa todas las semanas. El servicio de pañales le hace un lindo regalo a la mamá del bebé y es más económico que usar descartables. La madre naturaleza y los ecologistas te amarán.

El equipo limpio

No importa qué metodo elijas para envolver con pañales a tu bebé, recuerda a la abuela y su edicto de que "La limpieza está cerca de la santidad". Cuando cambies los pañales de tu bebé, usa agua tibia y un paño suave para higienizar surcos y pliegues. Limpia a las niñas de adelante hacia atrás (de la punta de la vagina al recto) para evitar infecciones por contaminación. Refuerza este método de higiene cuando empiezas a entrenarla en el uso de la pelela. No uses paños higiénicos comerciales rutinariamente porque contienen alcohol u otros agentes secantes que pueden causar irritación en la piel. Una vez por día, lávalo con un jabón suave. Enjuaga bien con agua tibia y seca completamente al bebé, antes de volver a envolverlo en pañales.

El mejor consejo sobre cremas, polvos y ungüentos es no preocuparse. La piel saludable no necesita aditivos sintéticos, que interfieren con la circulación de aire. Evita especialmente productos para la piel hechos con una base de petróleo o parafina, que son comúnmente alergénicos. Una de las mejores cosas que puedes hacer por la cola de tu bebé es no usar bombachas de goma. No son necesarias a esta edad temprana. Deja también que el bebé ande desnudo parte del día, porque el aire fresco es una buena prevención y cura el sarpullido del pañal. (Ver la sección "Preocupaciones comunes".)

Mamaderas y eructos

El equipo de alimentación artificial es muy básico. Tienes la opción de mamaderas de plástico, vidrio o descartables. Las mamaderas de vidrio son más fáciles de limpiar que las plásticas, pero el vidrio se rompe y el plástico no. Las descartables tienen la ventaja de que no hay que limpiarlas y el bebé traga menos aire durante la alimentación.

La preparación de fórmula implica nada más que seguir las instrucciones del envase y usar agua de la canilla para mezclar.

La fórmula del beso

- Hervir el agua para esterilizarla es innecesario. El agua de la canilla, a menos que sea agua de pozo, está esencialmente libre de bacterias.
- Si tienes agua de pozo, haz que sea examinada profesionalmente para determinar si es apta para uso de tu bebé sin tener que hervirla.
- Esterilizar mamaderas es innecesario. Un buen lavado con agua con jabón y/o un período en el lavaplatos es suficiente. Limpia las tetillas introduciendo agua caliente enjabonada a través del agujero y enjuagando bien.
- Olvídate de calentar la mamadera del bebé. A él no le importa, y una mamadera a temperatura ambiente no le causará ningún problema a su digestión.
- Si sientes la necesidad de calentar mamaderas, evita el microondas, porque puede crear puntos de calor y quemar la boca del bebé. Agita muy bien la mamadera después de calentarla.
- Usa mamaderas preparadas dentro de los 30 minutos o ponlas en la heladera. No dejes sobrantes para más tarde; emplea una nueva en cada comida.
- No insistas en que tu bebé termine su mamadera si se queda dormido o no parece interesado en continuar tomándola. Si es capaz de pasar 2 1/2 horas entre comidas y tomar la cantidad que sugiere tu médico, no está hambriento. Sobrealimentarlo puede ser un gran problema.
- Chequea la abertura de la tetilla —es correcta si la leche cae en gotas cuando inviertes la mamadera—. Un agujero más grande puede hacer que el bebé se atragante.

Haz eructar a tu bebé en una posición vertical sobre tu hombro, o su estómago sobre tu regazo, o con él inclinado hacia adelante en posición de sentado. Masajea o golpea suavemente su espalda. Trata de hacerlo eructar en el medio de la comida y al final.

Las comidas son un momento perfecto para alzar y acunar a tu bebé. Entretenlo hablándole suavemente y sonriéndole. Se supone que éste es un momento relajante para ambos. Alimentarlo acostado puede dar como resultado infecciones en los oídos o atragantamiento.

Bocados y horarios para dormir

Durante las primeras cuatro semanas, tu bebé querrá ser alimentado cada 3 o 4 horas. Hacia las cinco o seis semanas, el 50% de los bebés que toman mamadera duermen trechos de 8 horas y hacia los cuatro meses la mayoría de ellos lo hacen. Desde el principio, los bebés de pecho comen con más frecuencia que los alimentados artificialmente y se toman unos meses extra antes de dormir 8 horas sin ser alimentados. Hacia los tres o cuatro meses, las comidas nocturnas generalmente se reducen a una. Te encontrarás viva para ese momento.

Precisamente cuando piensas que este asunto de la alimentación se convierte en una rutina predecible, tu angelito parece tener hambre todo el tiempo y está fastidioso. Si no sabes lo que está pasando puedes volverte frenética. Alrededor de las dos, seis y doce semanas de edad, tanto los bebés de pecho como los de mamadera tienen aumentos repentinos de crecimiento. Soluciona el problema alimentando al bebé de pecho más frecuentemente para acrecentar la producción de leche. Además de alimentar al bebé de mamadera más a menudo, agrega de 30 a 60 g más de la fórmula a su alimento. 245

A medida que su estómago sea capaz de retener más, volverá a disminuir su tiempo entre comidas.

Establecer buenos hábitos de sueño en tu bebé es importante para su bienestar y su salud. Si quieres evitar un déficit de sueño enfurecedor, hay aquí algunas pautas.

No uses tu pecho como chupete o tu bebé se acostumbrará a "picar" raciones pequeñas y frecuentes que continuarán durante las horas de la noche cuando necesitas dormir. Ayúdalo a darse cuenta de que comer y dormir no van siempre juntos. Los bebés normalmente se despiertan varias veces durante la noche, de modo que trata de determinar la causa del llanto. Si está soñando, simplemente fastidiado o si realmente tiene hambre. Si han pasado 2 horas o menos desde su última comida, no lo acunes ni le des la mamadera simplemente como un medio para hacerlo dormir; no debes alimentar la creencia de que él no puede dormir sin haber comido antes. Como hábito, ponlo en su cuna a la hora de dormir, cuando todavía esté despierto, para que se dé cuenta de que puede dormirse sin la ayuda del pecho o la mamadera. Si no tiene hambre pero quiere succionar, dale un chupete. Un chupete es muy cómodo para algunos bebés y no causará anormalidades dentales antes de los tres o cuatro años. Tragará menos aire succionando un chupete que su pulgar o puño. Un chupete es útil para los tres primeros meses, antes de que descubra sus manos y dedos y los sonajeros. La necesidad de succión suplementaria decrece hacia los tres meses, puedes ir desacostumbrándolo del chupete.

Entre las tres y seis semanas es un buen momento para considerar trasladarlo de tu cuarto, si todavía lo comparte con ustedes. Los bebés son fábricas continuas de ruidos; resoplan, gimotean, roncan, gruñen, suspiran, gimen y lloriquean. Todos esos fastidiosos ruiditos que hace te mantienen despierta y pueden estimular tu necesidad de molestarlo porque piensas que necesita algo. No hagas que se pongan nerviosos mutuamente. Ambos necesitan dormir.

Alimentos sólidos

Uno de los mitos largamente perpetuados dice: "Dale a un bebé alimento sólido antes de ir a la cama y dormirá toda la noche". Eso no funciona. No caigas en la tentación de hacer la prueba, aunque estés experimentando un déficit de sueño. Puedes causar problemas incorporando alimentos sólidos demasiado pronto. Entre los primeros cuatro a seis meses el bebé no está listo para manejar la mecánica de tragar o digerir comida sólida. Ésta pasa sin ser digerida y puede infligir estragos en el camino. Haz oídos sordos ante la tía Betty que jura que todos sus bebés han comido bifes de costilla antes de tener dientes. ¡Escucha a tu pediatra!

Baños y ombligos

Durante la primera semana en casa, limita los baños a un simple lavado con esponja, hasta que el cordón cicatrice y se caiga. Usa un paño limpio y tibio, primero para limpiar sus ojos, luego su cabeza,

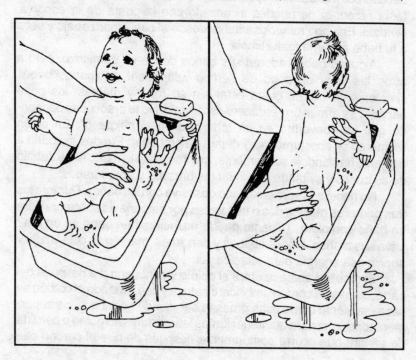

detrás de las orejas, cara, cuello y pecho. La zona inferior necesita una limpieza más frecuente para evitar la irritación y el sarpullido por el contacto con los pañales sucios o húmedos.

Después de que el cordón ha caído, puedes bañarlo regularmente en su tina, la pileta de lavar platos o la del baño limpias. Pon una pequeña toalla o paño en el fondo para que no se deslice ni se hunda. La tina necesita sólo de 2,5 a 5 cm de agua y el ambiente debería estar cálido. Usa la misma secuencia de lavado que en el baño con esponja. Alrededor de una vez por semana lava su pelo con un champú para bebés que no lo haga llorar. Si tiene una erupción escamosa y cerosa (gorro de cuna), usa un champú anticaspa para adultos y frótalo con un cepillo suave. No te preocupes por la "zona blanda". No es tan blanda como para que tengas que evitar lavarla. Enjabona su cuerpo desde el cuello para abajo con un jabón suave. Lava el pene o los pliegues vaginales (labios) ligeramente, tal como lo haces con el resto del cuerpo. ¡No uses hisopos de algodón para lavar nada! Tu abuela tenía razón: si no puedes alcanzarlo con la punta de la esponja, olvídalo. Enjuaga minuciosamente desde el cuello para abajo y seca a tu bebé con una toalla limpia.

Algunos bebés adoran sus baños desde un comienzo, pero a otros les lleva un poco de tiempo adaptarse. A algunos bebés simplemente no les gusta estar sin su ropa y mantas; los pone nerviosos y arman un verdadero escándalo. No te preocupes pensando que se convertirá en un "chancho en el chiquero". En algún momento se acostumbrará y dejará de protestar. Puedes ayudarlo a relajarse hablándole suavemente, manteniendo tu mano firme debajo de su cuello y evitando movimientos bruscos y apresurados.

No necesitas ser demasiado obsesiva con los baños. Durante los tres primeros meses, dos o tres veces por semana es suficiente para un baño completo. ¿Cuánto puede ensuciarse un bebé en un día? Lava sus manos, límpiale babas y derrames, mantén su cola limpia y ahorra esa energía para otras cosas.

El ombligo aparece entre el quinto y el noveno día después del parto, cuando el cordón umbilical cicatriza y cae. Cuando el cordón se seca, se siente como esas gruesas bandas de goma que los supermercados usan para mantener juntas las verduras. El goteo o pérdida de sangre que ocurre comúnmente después de que el cordón cae puede limpiarse tres o cuatro veces por día con alcohol. Si el goteo o la pérdida dura más de dos o tres días, llama al pediatra.

Higiene para los que tienen y los que no

Cuidado del pene no circuncidado

El pene no circuncidado requiere muy poco cuidado. El prepucio protege el glande de la irritación. No intentes retraer el prepucio; la retracción no es posible hasta los tres años de edad o más. Piensa en el prepucio como la piel protectora especial de la madre naturaleza y déjalo tranquilo.

Ocasionalmente, puedes notar manchas blancas en la punta del pene. No entres en pánico; las "joyas" de la familia aún están a salvo. Es la muda natural de las células de la piel. Con el pene no circuncidado, simplemente lava lo que ves y olvídate del resto.

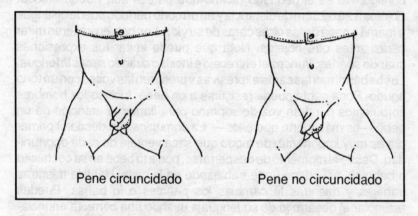

Pene circuncidado   Pene no circuncidado

Cuidado del pene circuncidado

Un bebé circuncidado con el dispositivo Plastibell tiene un anillo plástico que queda en el pene de cinco a ocho días, tiempo en el cual cae solo. Olvida que está ahí. No se requiere ningún cuidado. Si ha sido utilizado el método del gancho Gomco, una gasa petrolada envuelve al pene y permanece por 24 horas. Su función es proteger

249

el glande de la irritación y evitar que se adhiera al pañal. Deja de usarla después de dos o tres días, para permitir que el aire circule y ayude a la cicatrización. Tú puedes colaborar manteniendo sus pañales y la ropa flojos y no acostándolo sobre su estómago por unos días, hasta que el área no esté tan sensible. En el proceso normal de cicatrización, una descarga amarillenta se adherirá al pene. No es una infección, de modo que no trates de removerla. Usa sólo agua pura para limpiar hasta que cicatrice por completo. Después de eso, lava el pene como las demás partes.

Problemas para ocuparse incluyen cualquier pérdida de sangre, infección, olor desagradable o alguna dificultad aparente al orinar. Si tienes dudas, llama a tu médico.

Juegos y diversión

Desde que nace, tu bebé está listo para comenzar a interactuar contigo. No es el pequeño racimo que parece ser. Puede enfocar objetos a 20 o 25 cm de distancia y en un corto período puede distinguir a mamá y papá de las otras caras de su vida. Los bebés prefieren mirar caras antes que objetos. Nota que puede imitar tus expresiones cuando sonríes, frunces el entrecejo e incluso cuando sacas la lengua. Los bebés aman las caras expresivas y prefieren las voces con un tono agudo. Poca gente puede resistirse a un bebé. Incluso los hombres corpulentos pondrán voz de soprano para llamar la atención de un bebé —es más fuerte que ellos—. La comunicación desde el primer día es muy importante, de modo que saca ventaja de cada oportunidad. Desde el momento de despertarse, pon a tu bebé en su cochecito o bebe-sit, así puede verte trabajando en la casa. Háblale mientras trabajas y mientras le cambias los pañales o lo bañas. Puedes estimular el desarrollo de su lenguaje usando una correcta enunciación de palabras. Dicho de otro modo, no uses lenguaje de bebé. Además, podrías sentirte avergonzada la próxima vez que invites gente a cenar, cuando te oigas a ti misma preguntar: "¿La cena está ñam ñam para tu tam tam, pollito?".

Llora a mares para mí

Cada bebé viene al mundo equipado con un temperamento único, listo para expresarse desde el primer aliento. Pregúntale a cualquier enfermera de sala de parto. Algunos bebés son tan serenos como un monje en meditación. "Ir con la corriente" es su proverbio.

Otros llegan tan excitables y nerviosos como un predicador sin púlpito el domingo. Este bebé necesita mucho consuelo y tranquilidad para aliviar su ansiedad. Todos los bebés lloran y al principio puede ser muy difícil tratar de decodificar lo que quiere y necesita.

Pongamos a los bebés que lloran en perspectiva. Los bebés lloran cuando quieren comer, pero a veces lo hacen como una forma de aliviar la tensión. No pueden correr, meditar ni buscar una solución, de modo que lloran. Los bebés lloran cuando están cansados o sobreestimulados. Muchos bebés tienen ciertos momentos del día en los que están fastidiosos. Una cuarta parte de los recién nacidos tiene períodos de llanto tres veces por semana que duran 3 o más horas. Algunos bebés son capaces de consolarse a ellos mismos bastante bien: lloran unos minutos, clavan un puño en su boca y caen dormidos. Otros bebés pueden ser inconsolables no importa lo que hagas. Trata de ser objetiva y de no tomar como una cuestión el hecho de que tu bebé entre en la categoría de inconsolable. Es más que un desafío descubrir qué aflige su alma, pero finalmente podrás averiguarlo. He aquí algunas claves para recordar en esos momentos de berrinche:

• *Enrollar* a tu bebé apretadamente en una manta, con sus brazos adentro es un antiguo método indio. Restringir el movimiento parece ser calmante.

251

- Un pulgar, puño o chupete pueden ser tranquilizadores. Algunos bebés tienen una mayor necesidad de succionar que otros. Si un chupete lo hace feliz, dáselo. Si todavía está prendido a él cuando se casa, deja que su mujer se preocupe.
- *Cambios de temperatura* a veces perturban a tu bebé. Revisa si tiene demasiada o muy poca ropa puesta. Evalúalo teniendo en cuenta cómo estás vestida tú: si tienes dos capas de ropa y él tiene seis, probablemente está demasiado acalorado.
- Los *sonidos* pueden ser muy efectivos. Aparatos que imitan el sonido de la placenta, olas de mar o el latido de un corazón pueden ser muy reconfortantes. Para el bebé realmente difícil de consolar, prueba el aparato SleepTight. (Ver la sección "El chico con cólicos".) Grabar el propio llanto del bebé, la voz de mamá u otra música eficaz y pasársela al bebé también puede tener un efecto tranquilizador.
- Las *mecedoras* y *hamacas* son útiles. La hamaca consigue que se le acabe la cuerda al bebé. Son grandiosas para la hora de la cena cuando estás cansada de comer con una mano o de tener a tu marido cortándote la carne todo el tiempo.
- Los *portabebés* funcionan para los bebés a los que les gusta el contacto constante. Aquellos que se atan adelante tienen además la ventaja de que el bebé puede oír tus latidos.

Si has intentado el repertorio completo y nada sirve, mantén la calma. Pon al bebé en su cuna sobre su estómago y sácate los tapones de tus oídos. Has puesto lo mejor de ti. Usa tus técnicas de relajación y piensa en positivo. Esto también pasará.

Información, por favor

La mayoría de los hospitales son muy conscientes en cuanto a ayudarte a aprender y sentirte cómoda con tu nuevo bebé antes de volver a casa. En este estadio temprano de paternidad, pueden bombardearte con mucha información que no se queda contigo. Una vez en casa, puedes tener un montón de preguntas pero no recuerdas las respuestas. No estás sola. He aquí algunas sugerencias útiles para transmitirte hasta que puedas comprar un libro sobre bebés.

Preocupaciones comunes

Sarpullido del pañal

La causa más común de sarpullido son pañales mojados que se dejan por largos períodos, especialmente los descartables. Después que el bebé incorpora sólidos, entre los cuatro y seis meses, los nuevos alimentos pueden provocar una erupción alérgica o irritación por la proteína del alimento en la materia fecal. La dentición viene junto con un sarpullido del pañal, porque la orina se vuelve más alcalina en ese momento. Si tú misma lavas los pañales, ten en cuenta que los residuos de detergente o suavizantes de fábrica pueden provocar irritación. ¿Qué hacer?

- Déjalo desnudo. Deja que entre el sol —detrás de una ventana cerrada—. El aire fresco es la mejor medicina para el sarpullido del pañal.
- Evita bombachas de goma o pañales descartables. Fundas de lana para pañales, que se venden en negocios de bebés, son sustitutos perfectos de las bombachas de goma, e incluso puedes descubrir que las prefieres.
- Cámbiale los pañales más frecuentemente. Además, cuando los laves, dales un enjuague extra con media taza de vinagre blanco agregado al último enjuague.
- En las áreas afectadas usa sólo cremas naturales que incluyan vitamina E. Desitina con óxido de cinc es una barrera particularmente efectiva para hongos y bacterias. Gel de aloe vera es otra opción, pero pica cuando se aplica.

Si el sarpullido del pañal se vuelve crónico, tu mejor opción es el servicio de pañales y las fundas de lana para pañal. Algunos bebés simplemente no pueden soportar los pañales descartables.

Constipación

La constipación no es generalmente un problema en las primeras semanas de vida de un bebé. La constipación en un recién nacido se da al forzar un movimiento intestinal sin resultados. El número de movimientos intestinales por día no es un factor que determine la constipación. Los bebés varían de acuerdo con la frecuencia en que la cañería es purgada. Los bebés alimentados con fórmula son más propensos a la constipación, especialmente en tiempo caluroso. El consumo adecuado de líquidos de parte de mamá ayuda a evitar la constipación en el bebé alimentado a pecho. El factor importante es el resultado, no la regularidad. Si piensas que tu bebé está constipado, pídele consejo a tu pediatra.

Condición de la piel

Es muy común que un recién nacido tenga pequeñas protuberancias blanquecinas en la nariz. Estos poros de la piel tapados, conocidos como milias, desaparecen en pocas semanas. No es necesario hacer nada excepto lavar su cara con agua tibia. Guarda la Barrocutina para sus años adolescentes.

El 50% de los bebés tiene zonas rojo claro en el cuello o los párpados, dulcemente llamadas "picaduras de cigüeña" por la abuela. Es posible que tu pediatra use una descripción más terrena y las llame parches salmón. La mayoría de estas manchas se disipan y desaparecen en meses o al año.

La mitad de los bebés nacidos en término tiene ictericia fisiológica —una coloración amarilla de la piel que aparece el segundo o tercer día después de nacer—. Primero percibes el amarillo en la cara y tronco, luego en brazos y piernas. Con los bebés de piel oscura, notas la coloración en las encías y en el blanco de los ojos. Lo que estás viendo es el efecto de que el cuerpo destruye los glóbulos rojos extra del organismo que el bebé no necesita. Es posible que el hígado no pueda con todo el trabajo de limpieza los primeros días. Hacia el séptimo día, el hígado madura lo suficiente como para hacerse cargo del trabajo más eficientemente. En dos semanas el amarillo desaparece. Los casos leves de ictericia no son dañinos y no requieren tratamiento.

Si piensas que tu bebé está amarillo, llama a tu pediatra. No esperes que todo su cuerpo se transforme en una rosa amarilla.

Pechos hinchados y flujo vaginal

Los recién nacidos, tanto varones como nenas, tienen algún

grado de hinchazón de pechos. Puedes ver y sentir un pequeño nódulo en el área de los pezones. Esta condición temporaria es provocada por la transferencia de hormonas maternas a través de la placenta. Después de nacer, cuando el suministro se corta, la hinchazón desaparece. No hay de qué preocuparse.

Durante los primeros días, el área genital, en ambos sexos, está un poco inflamada. Las nenas tienen un flujo vaginal blanquecino y teñido de sangre unos pocos días después de nacer.

Ahogo

El ahogo no es común en los bebés menores de seis meses. El recién nacido puede ahogarse si la leche corre demasiado rápido, pero se recobra en seguida. Si te preocupa, sosténlo boca abajo y deja que la gravedad haga el trabajo. No es necesario palmearle la espalda, que puede asustarlo.

El chico con cólicos

El chico con cólicos es aquel que grita tan fuerte que su cara se pone roja por el esfuerzo. Levanta sus piernas y su abdomen está duro y tensionado. Sus pies y manos están frías como hielo y tú estás al borde de perder la cabeza. Necesitas toda tu fuerza emocional y física para pasar este agotador test de maternidad.

La causa de los cólicos todavía es un misterio y la única cura efectiva es la huella del tiempo. Los cólicos desaparecen generalmente hacia el tercer mes de edad o antes. Mientras tanto, además de los remedios para el bebé fastidioso, tus técnicas de supervivencia podrían incluir la posición de sostén, que alivia la presión en el abdomen del bebé. Ponlo en su carrito o porta-bebé y llévalo a dar una vuelta. Ponlo en su bebe-sit sobre el secador de ropa mientras está funcionando, pero no lo dejes solo. Sácalo a dar un paseo en coche. Pídele a tu vecina que te

cubra, mientras te escapas para reparar los delgados hilos de salud mental que te quedan.

Un nuevo aparato que parece muy prometedor en el tratamiento de cólicos es el Sleep Tight, una unidad de sonido y vibración que se conecta con la cuna del bebé y simula estar andando en auto. En un estudio de tres años realizado por el National Institute of Child Health and Human Development, el aparato Sleep Tight disminuyó los síntomas de cólicos en el 96% de los bebés examinados; el 85% de los bebés dejan de llorar en 4 minutos. Es posible que quieras averiguarlo.

Hasta que el problema de los cólicos se resuelva, duerme cuando lo haga tu bebé; consigue ayuda con las tareas de la casa y presta atención a tu dieta. No necesitas los virajes de humor que acompañan tu nivel fluctuante de azúcar en sangre. Durante tus horas más sombrías, ten en mente esto: tu en el presente inconsolable demonio de bebé pronto se convertirá en un infinitamente encantador deambulador que será la delicia de tus días. Vale la pena la espera. Mientras tanto, arrójate hacia la compasión de tus amigos y busca algún reemplazo en el cuidado del bebé. Ahora es cuando descubres quiénes son tus verdaderos amigos. Pídele a tu pediatra sugerencias y remedios adicionales.

Cuándo llamar al médico

La perspectiva de un bebé enfermo puede ser aterradora para cualquier padre, especialmente para el nuevo. ¿Cómo puedes saber si un bebé está enfermo? Uno de los primeros signos de enfermedad es la pérdida de apetito. Si llora, se queja y rehúsa una o dos comidas seguidas mientras parece desganado y apático, ése es un buen indicio. Llama al médico.

Fiebre

La fiebre es otro signo. Si tu bebé tiene una temperatura rectal de 38,8 grados o una temperatura axilar de 37,7 grados, llama a tu pediatra. Si no tienes ninguna experiencia con termómetros, no desesperes. Aquí, una rápida lección sobre qué hacer.

No es necesario tomar la temperatura rectal del bebé. Poner la punta del termómetro debajo de su axila y bajar su brazo para mantener el termómetro en su lugar es igualmente efectivo. Chequea que la punta del termómetro no se asome por el otro lado. Los termómetros digitales son realmente grandiosos porque hacen un bip cuando la lectura está hecha y exhiben el número en el visor.

Si prefieres la clase de termómetro a la antigua, sacúdelo para bajarlo hasta que la línea de mercurio esté por debajo de los 37 grados. Después de colocar el termómetro, sosténlo ahí por 5 minutos. La temperatura axilar normal es 36,7 grados.

Lee el termómetro sosteniendo el extremo redondeado en tu mano izquierda, con la punta hacia tu izquierda. Haz girar el termómetro muy lentamente hasta que puedas ver la línea de mercurio. Lee la temperatura donde termina la línea. Los grados centígrados en el termómetro avanzan de uno en uno desde los 36 a los 42. Las líneas más cortas representan un décimo de grado.

Si prefieres medir la temperatura rectal, lubrica la punta con petrolato. Coloca al bebé sobre su estómago, con una visión clara de su área rectal, e inserta muy cuidadosamente el termómetro a una profundidad de sólo 1,9 cm. Sostén el termómetro y espera de 3 a 4 minutos. Quítalo y lee. La temperatura rectal normal es de 37,5 grados centígrados.

Si piensas que tu bebé tiene fiebre, tómale la temperatura antes de llamar al médico; ésta es una información importante. Si no tienes en claro cómo tomarle la temperatura, haz que una enfermera te lo muestre antes de dejar el hospital.

Diarrea

La verdadera diarrea, si no se trata, puede convertirse en un problema serio para un recién nacido. Tu bebé tiene diarrea si pasa una gran cantidad de líquido a través del recto con una pequeña cantidad de materia fetal o tiene un aumento en la frecuencia de deposiciones con consistencia líquida. La apariencia es marrón amarillenta o verde teñida de manchas o mucus. Espasmos intestinales pueden preceder el explosivo movimiento intestinal repentino. Para evitar una severa deshidratación, mantén un equilibrio entre lo que sale y lo que entra. Si tu bebé tiene diarrea, llama a su médico.

Salud y bienestar

Asientos de auto

Los accidentes de auto y las caídas son las amenazas más grandes para la seguridad de tu bebé durante los primeros dos meses de vida. Cada mes, cerca de cuatrocientos chicos menores de cuatro años mueren por accidentes que podrían prevenirse.

El primer viaje de tu bebé desde el hospital a casa debería ser en un bebe-sit, mirando hacia atrás, apropiadamente asegurado y no en tus brazos.

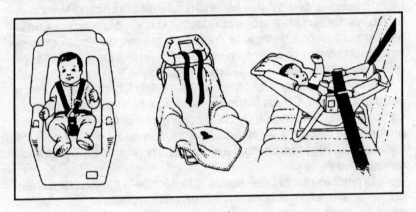

Cuando compres un asiento para el auto, pregúntale al empleado si puedes probarlo antes de comprarlo, para comprobar de que se acomoda a tu auto y que sabes cómo asegurarlo apropiadamente. Estas cosas no son fáciles de verificar, de modo que pide ayuda si la necesitas.

Caídas

Los accidentes y heridas por caídas son fáciles de prevenir. No pongas a tu bebé arriba de un mostrador, sobre un sofá o la mesa, dejándolo sin atención e inseguro. Incluso los bebés muy pequeños pueden arreglárselas para caer. Si tienes que dejarlo aunque sea por un minuto, ponlo en el piso.

Ahogarse

Una cuarta parte de los ahogos en la infancia ocurre en casa en la bañadera. Nunca dejes a tu bebé solo mientras está en la bañadera, por ningún motivo. No desarrolles malos hábitos que pueden ser desastrosos.

Hermanos

Lo mejor es no dejar chicos pequeños (de uno a cuatro años) solos con un bebé, porque el deambulador experimentado puede sentir la tentación de alzarlo y podría perder el control y dejarlo caer. Podría abrazarlo muy fuerte o alimentarlo con algo que no está preparado para comer. El momento que los chicos pequeños pasan con el bebé debería ser divertido, pero supervisado hasta que tengan la edad suficiente como para entender lo que no es dañino.

Mascotas

Es una buena práctica no admitir mascotas en el cuarto de tu bebé. Los gatos especialmente pueden ser un problema porque adoran dormir junto a cuerpos tibios, ¿y qué es más abrigado que un bebé? Pueden entrar fácilmente en su cuna. Ha habido casos en los que un gato durmió con un bebé e inadvertidamente lo asfixió. Incluso perros bien educados han mordido a muchos bebés y niños.

En general, las pautas para proteger a tu bebé de los chicos pequeños se aplican también a las mascotas. No son responsables de lo que no entienden.

Cunas

Una cuna segura es otro deber. Ya sea nueva o vieja, revisa que las barras laterales o listones no estén a una distancia mayor de 0,65 o 0,95 cm. La altura del colchón debería ser ajustable, de modo que puedas bajarla a medida que tu bebé crezca y aprenda a sentarse y a pararse. No debería haber espacios entre el colchón y los lados y extremos de la cuna. Una almohadilla amortiguadora es muy útil para tapar las aberturas. Ten por cierto que las decoraciones de cuna no son una amenaza potencial para un bebé curioso en época de dentición.

Inmunizaciones

Tener a tu bebé inmunizado contra las numerosas enfermedades de la infancia es un factor muy importante en la salvaguarda de su salud. Enfermedades tales como difteria, tos convulsa, sarampión y polio no han sido erradicadas —están ahí esperando a un chico desprotegido—. Si los niños no son vacunados, las epidemias pueden aparecer y arrasar con sus defensas.

Las inmunizaciones comienzan alrededor de los dos meses de edad. Tu pediatra tiene folletos que explican las diversas vacunas y lo que hacen. Despeja todas las dudas que tengas de modo que puedan ser aclaradas por adelantado. Haz tu parte para tu bebé y tu comunidad.

Adiós por ahora

Tu examen de la sexta semana de posparto oficialmente te reintegra al mundo de las no embarazadas. Has pasado las últimas seis semanas diciéndole hola a tu bebé. Ahora es tiempo de decirle adiós a tu médico, al menos por un tiempo. La mayoría de las mujeres han logrado establecer una agradable y cómoda relación con sus médicos a lo largo de los meses y a menudo también con el equipo médico. Son esas caras amigables que te hacen sentir especial y apreciada en tu embarazo. Es natural extrañar toda esa atención que una vez fue toda tuya, pero ahora pertenece a tu bebé.

Quizá nunca se te ocurrió, pero es probable que tu médico y el equipo también te extrañen. Asegúrate de dejarlos saber cómo te sientes y dales la oportunidad de la reciprocidad. Las palabras amables siempre son apreciadas.

Has hecho un viaje excitante y uno nuevo acaba de comenzar. De modo que reúne todos tus tesoros —tú misma, tu marido y tu nuevo bebé—, sean pacientes y cariñosos unos con otros. Recuerda para la travesía que viene mantener tu sentido del humor; resulta necesario.

18

Amamantamiento

Usa este capítulo como apoyo y herramienta básica para amamantar a tu bebé. Puede haber una jungla allá afuera. Tu pasaje para un amamantamiento exitoso se basa en el conocimiento y la confianza. Apóyate en eso. El amamantamiento en humanos no es instintivo; es un comportamiento aprendido.

Mitos y conceptos erróneos

Las historias de tías viejas acerca del amamantamiento todavía perduran, pero ahí van.

No necesitas usar corpiños talle 100 para amamantar a tu bebé. Ya sea rellena o chata de busto, cualquiera tiene igualdad de oportunidades para el éxito.

Amamantar no hace que tus pechos caigan o pierdan su forma. Usar un buen sostén es toda la protección que necesitas. En realidad, amamantar acelera la recuperación de tu figura preembarazo, porque tu útero vuelve más rápidamente a su forma y tú tiendes a perder peso más rápidamente cuando das de mamar.

Casi todas las mujeres tienen suficiente leche. Úsala o piérdela. Si das de mamar con la frecuencia suficiente, la leche estará allí.

Los bebés no se vuelven alérgicos a la leche materna. Es una buena protección contra infecciones para tu bebé. Simplemente practica técnicas correctas de lavado manual.

261

Incluso con otros chicos en casa, puedes amamantar. Dar la mamadera requiere dos manos, dar el pecho sólo una. Tienes una mano libre para otro chico que podría necesitar una caricia al mismo tiempo.

Tu bebé no es afectado por lo que comes. No tienes que dejar el chocolate, los huevos, las cebollas u otras comidas con especias.

Beber alcohol (cerveza, vino) no aumentará tu provisión de leche ni mejorará tus reflejos de bajada. Beber cantidades de líquidos sí lo hará.

Nada de preparación de pezones —pasar horas preparando tus pezones para amamantar no previene las heridas—. No pierdas tiempo. Pellizcar y tirar de tus pezones provoca contracciones uterinas. Hacerlo varios minutos por vez puede hiperestimular tu útero. (Definitivamente ésta no es una buena idea si tienes un embarazo complicado.) La consecuencia de la hiperestimulación es una disminución temporaria en el ritmo cardíaco de tu bebé. La estimulación de tus pezones mientras haces el amor no suele ser un problema, ya que tiende a ser intermitente, no prolongada.

Limitar la cantidad de tiempo de amamantar con cada pecho no previene el dolor de pezones; sólo lo demora. Reduce la cantidad de estimulación que necesitas para producir más leche. Dando de mamar unos pocos minutos, el bebé sólo toma la primera leche. Las calorías reales y el apaciguamiento del hambre vienen de la leche posterior. Deja que tu bebé mame con su propia frecuencia y duración. La succión ilimitada también previene el atiborramiento.

Prevenciones para amamantar

Información falsa

La información falsa crea confusión y causa alarma en la nueva madre. Te cansas de tratar de saltear los interminables obstáculos en tu camino hacia el éxito. El personal de enfermería varía ampliamente en sus conocimientos de técnicas de amamantamiento efectivas y actuales. Si cada enfermera te dice algo diferente, es fácil que te confundas y desanimes. Toma el asunto en tus propias manos. Estudia sobre amamantamiento antes de dar a luz. Lee este capítulo y busca un curso de amamantamiento. Hay muchos recursos allí afuera.

Programas de hospital y rutina

La rutina de hospital no se coordina fácilmente con la política de "alimentación por demanda", que logra un exitoso amamantamiento. Muchos hospitales ponen rutinariamente una mamadera de fórmula o agua dentro del moisés del bebé alimentado a pecho. Hay un mensaje allí. La alimentación suplementaria de fórmula sabotea tus esfuerzos de establecer un buen suministro de leche. Los bebés también se confunden tratando de cambiar de un tipo de pezón a otro (succionar una mamadera es muy diferente de succionar un pecho).

Cuando eliges un hospital, asegúrate de preguntar acerca de los hábitos de la nursery y de cuán accesible será tu bebé para ti.

Fatiga y tensión

Éstos son asesinos reales. Tienes que soportar dolores extra para obtener el suficiente descanso. Ahorras mucho tiempo sin calentar mamaderas, pero lleva más tiempo amamantar a un bebé. Nadie más tiene el equipamiento apropiado para llevar a cabo la tarea y no encontrarás amas de leche en las páginas amarillas. Estás clavada con esas comidas full time. En los primeros días puedes poner a tu bebé junto a ti en la cama para un fácil acceso. Puedes convencer a tu marido de que te traiga al bebé. Él puede sobrevivir a su cuidado mientras vuelves a dormirte.

La tensión interfiere con el reflejo de bajada de la leche. Usa tus técnicas de relajación para mantener la calma, no alcohol. El sueño extra ayuda cuando estás al borde del abismo.

Falta de apoyo

La falta de apoyo y de aliento de parte de aquellos que te rodean hace una diferencia. Algunos pediatras, ante la primera señal de problemas, te sugerirán la mamadera o te incentivarán a suplementar con fórmula. Asegúrate de que la gente a quien te dirijas en busca de consejo tenga las respuestas correctas como para que sigas adelante.

¿Qué hay con tu marido? Si él considera tus pechos como su propiedad personal, ¿cuán dispuesto está a compartirlos? Averígualo. Discute sus pro y contra y edúcalo al mismo tiempo que estás recogiendo información. Cuanto más sepa, más tolerante puede ser.

Una amiga o pariente bienintencionada a menudo da el golpe de gracia en casa cuando el bebé llora y te dice que el pobrecito debe de estar mortalmente hambriento. Los comentarios tipo beso de la muerte son: "¿Estás segura de que tu leche es suficientemente buena?", "La pobre cosita parece estar perdiendo peso". En medio de la fatiga y el remordimiento, caes en un estado de desesperación total y buscas la fórmula gratis que el hospital te mandó a casa, por las dudas.

Busca un buen comienzo conociendo los procedimientos correctos y anticipando aquellas circunstancias que pueden sabotear tus esfuerzos.

Ítems de interés

El primer alimento de tu bebé es el calostro; la sustancia amarillenta, espesa, dulce, que puedes extraer de tus pezones; es rica en calorías y proteínas. El calostro contiene altos niveles de agentes que protegen al bebé de infecciones y también tiene un efecto de tipo laxante. Las deposiciones del bebé alimentado a pecho son flojas y aguadas —la constipación no es un problema—. Puede tener una deposición cada vez que come o sólo una cada cinco o seis días.

La leche transicional hace su aparición alrededor de 1 o 2 semanas después del parto. Tu leche madura parece pálida y blanco azulada. Éste es el único alimento que tu bebé necesita para los primeros cuatro a seis meses de vida.

Los espasmos uterinos pueden ser un problema menor mientras das de mamar pero generalmente desaparecen entre los siete y diez días. Hay drogas sin receta que proporcionan un excelente alivio a los espasmos. Si tu bebé sólo se alimenta de leche materna, es probable que no menstrúes. El coito puede ser doloroso por la lubricación vaginal disminuida. Algunos remedios son específicos para este problema (pregúntale a tu médico).

Muchas mujeres encuentran que el dar de mamar es una

experiencia erótica que puede ser desconcertante, de acuerdo con cuán cómodas se sientan con su sexualidad. Ocasionalmente, hay mujeres que incluso informan que experimentan orgasmos. Ahora sabemos qué era lo que mantenía la continuidad de las especies antes de que los fabricantes de la fórmula entraran en escena y arruinaran la diversión.

Buenos comienzos

Durante las primeras 2 o 3 horas después del parto, el reflejo de succión de tu bebé va a ser su fuerte; después de eso, declinará por varios días. No te desalientes si no parece muy interesado al principio. Aunque pocos bebés están lo suficientemente hambrientos para mamar bien enseguida, es una buena idea dejarlo familiarizarse con tu pecho al nacer, si es posible. Si no, puedes ponerte al día más tarde.

El logro en el amamantamiento es evitar las llagas de los pezones. El mejor modo de conseguirlo es aprender a poner a mamar a tu bebé en la posición correcta, para minimizar el trauma en tus pezones.

Siéntate derecha en una silla o cama y pon al bebé atravesando tu abdomen, con la cabeza en la curva de tu brazo (Figura 1). Voltea todo su cuerpo hacia ti. Su cabeza, pecho, abdomen y rodillas deberían estar de cara a tu cuerpo. Esta posición ubica el pezón directamente delante de su boca. Puedes doblar tus rodillas para

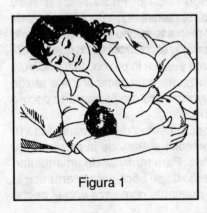

Figura 1

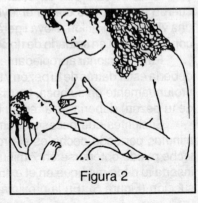

Figura 2

atraerlo más. Si has tenido una cesárea, coloca una almohada entre tus rodillas y el bebé, para separarlo de tu abdomen, o recuéstate sobre un lado.

No uses la posición incorrecta de la Figura 2, que es un error común. Agarra tu mama con tu pulgar arriba y los demás dedos por debajo (Figura 3). La posición correcta permitirá la estimulación y el vaciamiento de los conductos de los pezones y ayudará a prevenir conductos obturados y el atiborramiento.

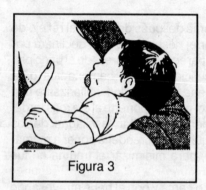

Figura 3

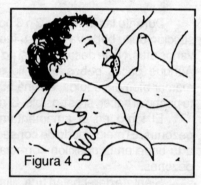

Figura 4

Saca un poco de calostro, si es posible, para provocar su interés. Hazle cosquillas en su labio superior con tu pezón muy suavemente (Figura 4), para activar el reflejo de "hociquear". Cuando abra grande su boca, acércalo con su estómago hacia ti. Podrá respirar si su cuerpo está pegado contra el tuyo. Si piensas que necesita más de una vía de respiración, eleva ligeramente tu pecho en vez de hundirlo con tu pulgar. Ten cuidado de no quebrar el buen contacto que tienen.

Para succionar apropiadamente y salvar tu pezón, su mandíbula debería estar detrás de tu pezón y tu mama, para hacer entrar el pezón profundamente en su boca. La mayoría de tu aréola (la parte oscura de tu pezón) debería estar en su boca.

Si sientes que necesitas tomar el tiempo de las mamadas, 10 minutos por cada pecho es el promedio; el 90% de la provisión de leche puede obtenerse en 7 minutos. Para terminar de amamantar, inserta tu dedo meñique en el extremo de su boca para interrumpir la succión (Figura 5). En la próxima mamada, comienza con el pecho que usaste último. Por ejemplo, si terminaste con el pecho izquierdo, comienza la siguiente mamada con el mismo, para asegurarte de que el pecho esté vaciado por completo.

El cuidado de los pezones es simple. Deja que se sequen al aire por 15 a 20 minutos. Límpialos sólo con agua cuando te bañas. Los lubricantes naturales para piel seca, como lanolina pura, manteca de cacao pura, aceite con vitamina E o aceites vegetales, ayudan a evitar grietas en los pezones. Evita aquellos productos y cremas que tengas que quitar antes de cada mamada.

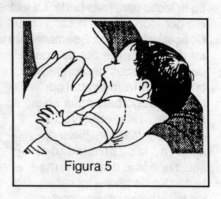

Figura 5

Las mamas chorreantes son un inconveniente temporario. El bebé llora y tú piensas que el dique se ha roto. Para detener el torrente, presiona firmemente la mama con el borde inferior de tus manos. Usa pañuelos de algodón blancos, lavables, como relleno. El chorreo generalmente cesa cuando el amamantamiento está bien calibrado.

Algunos bebés necesitan eructar después de cada pecho, pero otros tal vez no precisen hacerlo ni siquiera después de ambos. Si tu bebé no eructa, ponlo boca abajo en la cama, lo cual puede ayudarlo.

Los bebés de pecho deberían ser alimentados al menos cada 3 horas, con sólo un período de 5 a 6 horas entre comidas cada 24 horas. Esto te asegura que tu bebé está recibiendo el líquido suficiente y aumenta tu producción de leche. Tu bebé está tomando la suficiente leche si cambias seis pañales mojados por día. Puedes esperar que aumente alrededor de 450 g por mes.

¿Destetar para trabajar?

Si planeas volver al trabajo después de tener a tu bebé y realmente quieres darle de mamar, puedes hacerlo. Existen formas, pero tienes que estar muy bien organizada y convencida para encararlo.

Arreglar con una baby sitter cerca de donde trabajas es una idea.

267

Puedes amamantar a tu bebé antes de ir a trabajar. Al mediodía puedes hacerte una escapada a lo de la baby sitter para darle el almuerzo. Almacena suplementos ordeñando tus mamas y guardando la leche para más tarde. La leche materna puede guardarse en el refrigerador por 24 horas, en un recipiente limpio sin esterilizar. Congelándola, dura 2 semanas en un freezer de una puerta y varios meses en un freezer de dos puertas. Puedes descongelar la leche en el refrigerador por 2 horas y luego bajo agua tibia corriente. Una observación: calentar, enfriar y deshielar disminuye las propiedades antiinfecciosas de la leche materna. No deshieles ni calientes la leche en el microondas, porque eso destruye las vitaminas. Además, los puntos calientes son un problema y podrían quemarle la boca al bebé.

Un tiempo oportuno para ordeñar tus mamas es cuando estás dando de mamar a tu bebé porque la bajada está en plena fuerza. Un pecho es para él y el otro para el vaciador de leche. La extracción con la mano es una alternativa, pero aquellas que lo han experimentado dicen que lleva demasiado tiempo. Los vaciadores de mamas vienen en muchas formas y precios. Consulta a tu educador de parto para que te recomiende.

Duplica tu diversión

Dado que el suministro de leche está determinado por la demanda, una mamá puede alimentar a dos bebés exitosamente. Dar de mamar a mellizos lleva tiempo, práctica y coordinación. Puedes poner en práctica el viejo método de sostener dos pelotas. O puedes mezclar y combinar posiciones —uno en la posición de pelota, el otro en posición de cuna; ambos enfrentados, acunándolos, cruzándolos—. Prueba diferentes combinaciones para ver cuál funciona mejor para ti. El descanso es crucial, dado que estás cumpliendo una tarea doble.

Variaciones y remedios

Puedes pasar por diversos obstáculos a lo largo del camino en tu nueva carrera de amamantamiento. Aquí, los problemas potenciales y sus soluciones.

El bebé no se prende

El problema puede ser que tenga sueño o ganas de eructar. Trata de no sentir que te está despreciando. Simplemente va a llevar más tiempo generar un poco de interés.

• SUGERENCIAS ÚTILES
    1. Trata de despojarlo de las mantas.
    2. Extrae un poco de calostro para estimular la succión.

Pezones chatos, invertidos o retráctiles

• SUGERENCIAS ÚTILES
    1. Toma tu pezón entre el pulgar y el índice. Aprieta el borde del pezón, no la punta (Figura 6).
    2. Agarra el borde externo de la aréola y comprímela suavemente para ayudar a introducirla en su boca (Figura 7). Si aún no succiona, dale un sorbo de una mamadera y rápidamente cámbialo a tu pezón.
    3. Los protectores de mamas ayudan a corregir la inversión y retracción de pezones aplicando una presión pareja, continua e indolora que gradualmente obliga al pezón a salir a través de la abertura central del protector. Usa el protector entre mamadas; quítalo antes de dar de mamar. No guardes la leche que chorrea dentro del protector para alimentar a tu bebé. Lava los protectores frecuentemente con agua caliente y jabón; enjuágalos bien y sécalos cuidadosamente. Airea los pezones durante 15 a 30 minutos después

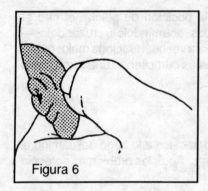

Figura 6

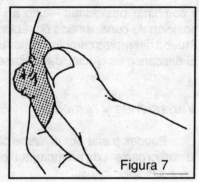

Figura 7

de alimentar. Usa ungüento de lanolina para ayudar a prevenir dolores producidos por la humedad retenida en el protector.

Pezones llagados, agrietados o sangrantes

Las llagas en los pezones son comunes, especialmente en las mujeres de piel delicada. Una cantidad de factores contribuyen con el problema, como por ejemplo las mordidas del bebé. Los pechos sobrecargados hacen que para el bebé sea difícil prenderse apropiadamente. Ocasionalmente, se forman ampollas con sangre alrededor del pezón. Si revientan es posible que la sangre caiga en la boca del bebé —no es problema—. Continúa adelante.

• SUGERENCIAS ÚTILES
1. Si el bebé muerde los pezones o los aprieta con la encía, interrumpe la succión y vuelve a comenzar.
2. Extrae con la mano un poco de leche para que comience a fluir, de modo que el bebé no tenga que succionar vigorosamente antes de la bajada.
3. Mamadas más cortas y frecuentes pueden ayudar.
4. Dar de mamar en diferentes posiciones ejerce presión sobre diferentes partes del pezón.
5. Sácales el mango a dos filtros de café y úsalos dentro de tu corpiño para permitir la circulación y ayudar a la curación. Puedes aplicar lanolina (no es necesario quitarla).
6. Ofrece el pezón llagado primero.

7. Podrías intentar tomar alguna medicación para el dolor media hora antes de dar de mamar.

8. Para pezones agrietados, usa el secador de pelo o una lámpara eléctrica (de 60 a 90 watts), ubicada a 45 cm de distancia, dos o tres veces por día. No uses jabón, petrolato, alcohol ni ninguna otra sustancia irritante sobre tus pezones. Usa un emoliente suave como la lanolina.

9. Si la llaga es severa, deja de amamantar por 2 o 3 días hasta que se cicatrice. Entretanto, ordeña manualmente tu(s) mama(s) para mantener la provisión de leche.

Atiborramiento

El atiborramiento ocurre generalmente del segundo al quinto día después del parto. Tus mamas están tan llenas que se sienten como dos rocas posadas dolorosamente sobre tu pecho. Podrías tener una ligera fiebre de menos de 38 grados. Las mamas excesivamente llenas hacen que al bebé le resulte difícil tomar el pezón apropiadamente. Solamente es succionado el pezón y eso resulta muy doloroso. Los pequeños conductos recolectores no tienen leche y el bebé se frustra por la falta. ¡Ninguno de los dos está pasando un buen rato! Puedes evitar el atiborramiento perseverando en el horario de alimentación por demanda.

• SUGERENCIAS ÚTILES
1. Toma una ducha caliente.
2. Realiza una extracción manual suave para ablandar la aréola y reducir la congestión.

Fiebre

Puede haber fiebre cuando aparece tu leche. Tu temperatura debería estar en menos de los 38 grados. Si tu temperatura es más alta, otras causas como una infección deberían ser investigadas. *Llama a tu médico.*

Infección de mamas (mastitis)

Las infecciones generalmente no se desarrollan hasta las dos o 271 tres semanas de posparto. Tu(s) mama(s) se pone(n) roja(s), caliente(s) y sensible(s). Tienes fiebre y escalofríos y te sientes dolorida. Es posible que tengas náuseas y un decaimiento general. Llama a tu médico: necesitas un antibiótico si tienes mastitis.

• SUGERENCIAS ÚTILES

1. Incluso con una infección, no necesitas dejar de amamantar, porque la leche permanece estéril aunque haya un absceso. Comienza a amamantar del lado afectado para vaciar la mama.

2. Reposa mucho y toma gran cantidad de líquidos. Toma un antifebril como Paracetamol.

Conductos de leche obturados

A veces, uno o más conductos de leche se taponan. Puede sentirse un pequeño nódulo que es probable que enrojezca y sea doloroso.

• SUGERENCIAS ÚTILES

1. Masajea el nódulo con un movimiento circular mientras das de mamar. Asegúrate de que tu corpiño no esté demasiado apretado; podría estar presionando las glándulas mamarias.

2. Aplica calor de 15 a 20 minutos antes de amamantar.

3. Ofrece el pecho lastimado primero, de modo que pueda ser vaciado completamente. Rota posiciones con cada mamada, para ejercer presión sobre diferentes conductos.

4. Extrae leche con la mano del pecho afectado después de cada mamada, para vaciarla por completo.

Ictericia de leche materna

Este tipo de ictericia ocurre en una proporción de menos de un bebé cada doscientos. La ictericia de la leche materna aparece más

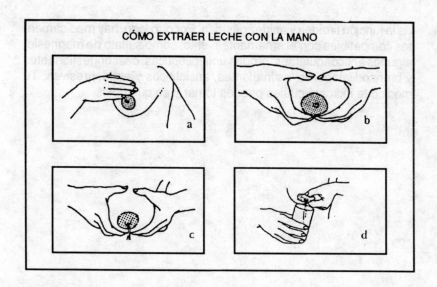

CÓMO EXTRAER LECHE CON LA MANO

a

b

c

d

tarde que la ictericia fisiológica y culmina en siete o diez días. Tu bebé no es alérgico a tu leche, y no lo estás envenenando. La cura es simple.

• SUGERENCIAS ÚTILES

1. Deja de amamantar de 12 a 24 horas y luego continúa como de costumbre.

2. Ordeña tus mamas para mantener tu producción de leche.

Drogas y amamantamiento

La mayoría de las drogas que tomas encuentran la manera de entrar en tu leche, pero la pregunta es ¿en qué cantidad? Es una cuestión de grados. Es un alivio saber que existen sólo pocas drogas que no puedes tomar mientras estás amamantando. Tu obstetra podrá decirte cuáles son. Ten en cuenta que algunas de estas drogas producen efectos nocivos para tu bebé o sobre la lactancia, entre ellas los antihistamínicos, algunos calmantes o diuréticos. Los efectos pueden ser la supresión de la lactancia, vómitos y diarrea, disminución

273

de la función tiroidea y acidez gástrica. Por otro lado, hay medicamentos compatibles con el amamantamiento, como sulfato de magnesio, algunos anticoagulantes, drogas antiepilépticas, descongestionantes y broncodilatadores, estimulantes, ansiolíticos y antidepresivos. Tu médico te indicará cuáles puedes tomar y en qué dosis.

Apéndice 1

Ejercicios

Estos ejercicios pueden ser usados en la prenatalidad y el posparto. Los siguientes ejercicios ilustrados te ayudan a:

- Tonificar los músculos de la pelvis.
- Reducir el estrés en la espalda lumbar, por el peso agregado del embarazo.
- Reducir la presión ciática.
- Fortalecer la zona superior de la espalda.
- Reducir la tendencia a encorvar la espalda.
- Fortalecer tus brazos para cargar a tu bebé.
- Aumentar la dureza y el control de músculos para el trabajo de parto y el alumbramiento.

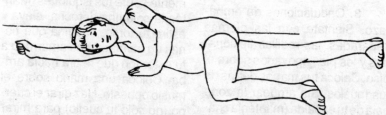

1. Elevación de la zona interior de muslos. Recuéstate de costado. Flexiona la pierna de arriba y colócala sobre el piso delante de la pierna sin flexionar. Levanta tu pierna sin flexionar y bájala lentamente.

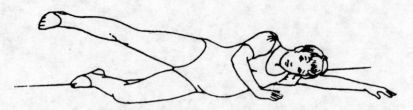

2. Elevación de la zona exterior de muslos. Recuéstate de costado con ambas rodillas dobladas. Endereza la pierna de arriba y levántala. Sube el muslo sólo a la altura de la cadera. Presiona la pierna de arriba a medida que desciendes hasta la otra pierna. Deberías sentir que sólo los músculos exteriores de los muslos están trabajando.

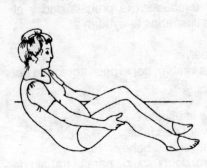

3. Ondulaciones de embarazo. Siéntate con las piernas separadas, las rodillas flexionadas y los pies apoyados sobre el piso. Coloca tus manos detrás de tus muslos. Sin arquear la zona baja de tu espalda (manténla chata), inclínate hacia atrás lo suficiente como para sentir que tus músculos abdominales se tensan; sostén 5 segundos.

4. Pretzel de embarazo. Siéntate en el piso con pies y rodillas separadas. Siéntate firmemente sobre tus isquiones. Mantén la columna derecha, eleva y estira tu torso. Imagina que tienes un montacargas amarrado a tu esternón que te tira hacia arriba. Coloca una mano sobre el muslo opuesto. Haz girar el cuerpo (no sólo tu cuello) para mirar por encima de tu hombro. Mantén el estiramiento 5 segundos. Vuelve a la posición inicial y alterna los lados al repetir.

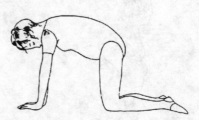

5a. Perro y gato. Apoya manos y rodillas en el piso. Relaja tu estómago y zona inferior de la espalda pero mantén derecha tu columna.

5b. Contrae tu estómago y glúteos. Empuja la pelvis hacia adelante y arquea la espalda. Relaja y repite.

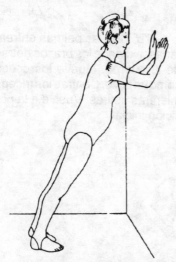

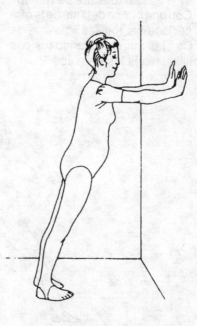

6a. Empujar la pared. Con los pies separados a la altura de las caderas, coloca ambas manos sobre la pared a la altura de los hombros. Inclínate hacia la pared con los codos flexionados. Mantén la posición 1 o 2 segundos.

6b. Aleja lentamente tu cuerpo de la pared. No endereces del todo los codos.

277

7a. Extensión de tríceps. Con una pierna delante de la otra, flexiona tus rodillas ligeramente. Con las manos tocando tus costillas, relaja los hombros.

7b. Con las palmas enfrentadas, extiende los brazos detrás de tu cuerpo. Mueve los codos como un pollo. Contrae los tríceps mientras estiras. Vuelve a la posición inicial.

8a. Postura de cuclillas de embarazo. Con los pies separados a una distancia mayor que la de los hombros, las puntas hacia afuera y las rodillas ligeramente flexionadas, contrae los glúteos.

8b. Presiona hacia abajo lentamente hasta una flexión más profunda y cómoda. Mantén el equilibrio hacia adelante y distribuye el peso equitativamente. Repite 2-3 veces. Si este ejercicio perjudica tus rodillas y espalda, elimínalo.

9a. Ondulación de bíceps. Comienza con la posición de cuclillas. Estabiliza tus codos a la altura de las costillas. Vuelve las palmas hacia arriba con las manos cerca de tus muslos.

9b. Contrae la zona superior de tus brazos a medida que llevas tus palmas hacia los hombros. Continúa tensando los músculos mientras bajas las manos hacia los muslos. Usa pesas de 1,5 kg si lo deseas.

10a. Cuclillas posnatal con elevación de bebé. Con tus piernas separadas, los pies apuntando hacia afuera y las rodillas levemente flexionadas, alza a tu bebé agarrándolo de las axilas. Bájalo mientras llegas hasta la posición de cuclillas.

10b. Levanta a tu bebé a medida que extiendes tus piernas saliendo de la posición de cuclillas. Muévete lentamente mientras vas cambiando de posición. ¡Éste es un gran ejercicio para ti y diversión para el bebé!

11a. Ondulaciones hacia arriba posnatales. Acuéstate boca arriba con las rodillas flexionadas. Coloca a tu bebé sobre tus muslos. Levanta los hombros del piso mientras doblas el torso hacia tu bebé.

11b. Si tu cuello es débil, sostén tu cabeza con una mano y al bebé con la otra. Levanta desde el cuello, no desde la cabeza, cuando haces la ondulación.

Apéndice 2

Pautas anticonceptivas*

*Adaptado de "Benefits, Risks, & Effectiveness of Contraception" del American College of Obstetricians and Gynecologists. La información contenida en este cuadro no pretende ser un sumario completo de riesgos, beneficios y efectividad de todos los métodos anticonceptivos. Ninguna decisión sobre el uso de un método anticonceptivo debería basarse únicamente en la información contenida en este cuadro. Consulta a tu médico para que te ayude a determinar el mejor método anticonceptivo para ti. (Nota de la autora.)

Método	Ventajas	Desventajas/Precaución	Riesgo de embarazo**
Ninguno	Ninguna	Embarazo no planeado	60-80%
Eyaculación ext.	Sin drogas ni dispositivos	Embarazo no planeado	23%
Diafragma con espermicidas	Protección contra enfermedades de transmisión sexual (ETS).	Necesita prescripción. Debe usarse siempre. Alergia potencial a la goma o espermicidas.	19%
Preservativo	Sin drogas, protege de ETS.	Debe usarse siempre. Algunas personas son alérgicas a la goma.	10%
Espermicidas (jaleas, crema, loción, óvulos)	Se obtiene sin receta. Más fácil de usar. Protege de ETS.	Deben seguirse las instrucciones exactamente y usarse siempre. Algunas personas son alérgicas a los espermicidas.	18%

**Riesgo de embarazo basado en 100 parejas que usaron este método por un año. (Nota de la Autora.)

Método	Ventajas	Desventajas/Precaución	Riesgo de embarazo**
Óvulos	Lo mismo que para los espermicidas. Pueden dejarse puestos. Son efectivos hasta 24 horas.	Lo mismo que para los espermicidas. No dejar más de 24 horas.	9-15%
Planificación familiar natural	Sin drogas ni dispositivos. No interfiere con creencias religiosas.	Necesita un cuidadoso monitoreo del ciclo menstrual. Un cambio en el ciclo regular debido a infecciones, fiebre, etc., puede llevar a confusión. Requiere abstinencia. Puede resultar en un embarazo no planeado.	24%
Dispositivo intrauterino	Efectivo, reversible. Decisión de una vez.	Puede incrementar el flujo vaginal y los espasmos. Riesgo de perforación, expulsión e infección tubárica. No recomendado para mujeres con parejas múltiples, por el riesgo de infección e infertilidad, o mujeres que nunca han estado embarazadas. (Nota de la Autora.)	5%

**Riesgo de embarazo basado en 100 parejas que usaron este método por un año.

285

Método	Ventajas	Desventajas/Precaución	Riesgo de embarazo**
Combinación control de natalidad y píldora	Reduce el riesgo de ciertos tumores malignos y anemia por deficiencia de hierro. Puede reducir la incidencia del síndrome premenstrual.	Efectos colaterales secundarios: náusea, vómitos, hemorragia, sensibilidad y agrandamiento de pechos, aumento de peso.	2-4%
	El medio más efectivo de anticoncepción reversible. Disminuye la irregularidad menstrual, flujo y espasmos menstruales. Reduce la incidencia de inflamaciones de pelvis, tumores benignos en mamas y en ovarios.	Requiere tomar la píldora diariamente. Complicaciones cardiovasculares, mayormente en mujeres mayores de 35 años que fuman, como coágulos de sangre, apoplejía, cardiopatía, alta presión sanguínea y, en casos raros, tumores benignos de hígado.	

**Riesgo de embarazo basado en 100 parejas que usaron este método por un año. (Nota de la Autora.)

Método	Ventajas	Desventajas/Precaución	Riesgo de embarazo**
Vasectomía	Permanente. Decisión de una vez. Efectos a largo plazo desconocidos.	Operación menor. Se necesita otra operación para revertir el procedimiento. El éxito de la reversión depende de la técnica quirúrgica y del tiempo pasado desde la vasectomía.	Menos del 1%
Esterilización tubárica	Permanente. Decisión de una vez. Efectos a largo plazo desconocidos.	Cirugía mayor que requiere anestesia. Se necesita cirugía adicional para revertirla. El éxito depende del tipo de procedimiento de esterilización realizado.	Menos del 1%

**Riesgo de embarazo basado en 100 parejas que usaron este método por un año. (Nota de la Autora.)

Apéndice 3

Cuestionario
prenatal* de historia genética

NOMBRE .... FECHA ....

PREGUNTAS 1-4 te corresponden a ti y al padre del bebé.

1.¿Ha tenido alguno de ustedes dos, o alguien en sus familias, algunas de las siguientes afecciones?

S N a. Síndrome de Down (mogolismo)

S N b. Anormalidades cromosómicas

S N c. Defectos en el conducto neural (anormalidades en la columna vertebral, tales como espina bífida, abierta o anencefalía)

S N d. Hemofilia (irregularidad en la coagulación de sangre)

S N e. Distrofia muscular

S N f. Retraso mental

S N g. Fibrosis quística

S N h. Cualquier otro tipo de defectos de nacimiento o afecciones familiares no especificadas arriba

S N 2. ¿Alguno de los dos ha tenido chicos, vivos o muertos, de relaciones o matrimonios previos, con algún defecto de nacimiento no especificado arriba?

* Adaptado del *Boletín técnico* del American College of Obstetricians and Gynecologists, septiembre 1987.

S   N   3. Como pareja, o con parejas anteriores, ¿han tenido un chico muerto al nacer o tres o más abortos en los tres primeros meses de embarazo?

S   N   4. ¿Se han hecho un estudio de cromosomas?

S   N   5. Cuando nazca tu bebé, ¿tendrás más de 35 años?

Usa el siguiente espacio para responder las preguntas afirmativas (S)

....

....

....

....

Bibliografía

Referencia general

Cunningham, G. F., MacDonald, P. C. y Gant, N. F., *Williams Obstetrics*. 18a. ed., Norwalk, CT, Appleton & Lange, 1989.

Emociones del embarazo y sexualidad

Bing, E., & Colman, L., *Making love during pregnancy*. New York Bantam Books, 1977.

Bray, P., Myers, R. A. y Cowley, R. A., "Orogenital sex as a cause of nonfatal air embolism in pregnancy". *Obstetrics and Gynecology*, 61: 653 (1983).

Colman, A. D. y Colman, L. L., *Pregnancy: The psychological experience*. New York, Herder and Herder, 1971.

Dameron, G. W. Jr., "Helping couples cope with sexual changes pregnancy brings". *Contemporary OB/Gyn* 21:23 (1983).

Longobucco, D. C. y Freston, M. S., "Relation of somatic symptoms to degree of paternal-role preparation of first-time expectant fathers". *JOGNN*, 18 (6): 482-488, 1989.

Mueller, L. S., "Pregnancy and sexuality". *JOGNN* 14 (4): 289-294, 1985.

Tu cuerpo y el crecimiento del bebé

Ingelmen-Sundbert, A., *A child is born: The drama of life before birth*. New York, Dell, 1969.

Moore, K., *The developing human.* Philadelphia, W. B. Saunders, 1977.

Afecciones comunes en el embarazo

Cunningham, G. F., MacDonald, P. C. y Gant, N. F., *Williams Obstetrics.* 18a. ed. Norwalk, CT: Appleton & Lange, 1989.

Estado físico

Chez, R. A. y Pitkin, R. M., "Nutritional supplements during pregnancy". *Contemporary OB/Gyn,* 19: 199, 1982.
Fishbein, E. G. y Phillips, M., "How safe is exercise during pregnancy?" *JOGNN,* 19 (1): 45-49, 1990.
Johnstone, F. P., "Nutrition intervention and pregnancy: what are clinicians' choices?" *Contemporary OB/Gyn,* 21:211, 1984.
"Juice: Comparing apples and oranges". University of California. Berkeley *Wellness letter,* 4 (10): 3, 1988.
"News Commentary: Dealing with weight-gain goals". *OBG Management,* July 1990, p. 6.
O'Grady, J. P., "More on maternal exertion and fetal heart rate". *OB/Gyn Alert* 5 (3): 9-10 1988.

Trabajo y juego

Birnhardt, J. H., "Potential workplace hazards to reproductive health". *JOGNN,* 19 (1): 53-62, 1990.
Sherer, D. M. y Schenker, J. G., "Accidental injury during pregnancy". *OB/Gyn Survey,* 44 (5): 330-338, 1989.
Zuber, C., Librizzi, R. J. y Bolognese, R. J., "Do aspartame and video display terminals pose pregnancy risks?" *Postgraduate Obstetrics & Gynecology* 9 (26): 1-6, 1989.

Drogas en el embarazo

Aaronson, L. S. y Macnee, C. L., "Tobacco, alcohol and caffeine use during pregnancy". *JOGNN,* 18 (4): 279-287, 1989.
Briggs, G., Freeman, R. y Yafee, S., *Drugs in pregnancy and lactation.* 2a. ed. Baltimore, Williams & Wilkins, 1986.

Matteson, D. R., Kozlowski, K., Quirk, J. G. y Jelovsek, F. R., "Effects of drugs and chemicals on the fetus". *Contemp. OB Gyn,* 33 (5): 131-145, 1989.

Preparación de parto

Beck, N. C. y Hall, D., "Natural childbirth: A review and analysis". *Obstetrics and Gynecology,* 56: 371, 1978.
Lindell, S. G., "Education for childbirth: A time for change". *JOGNN,* 17 (2): 108-112, 1988.
Willmuth, L. R., "Prepared childbirth and the concept of control". *JOGNN,* 4 (5): 38, 1975.

Opciones del parto

Emrey, M. A. y Mundell Kowalski, K., "Alternatives to traditional birth settings and practices". In Sonstegard, Kowalski y Jennings (eds.), *Women's health: Crisis and illness in childbearing,* volume II. New York, Grune & Stratton, 1983.
Feldman, E., "Comparing low-risk births in hospital and birth center settings". *Birth,* 14 (1): 18, 1987.
Pearce, W. H., "The 'four myths' about out of hospital births". *American College of Obstetricians and Gynecologists Newsletter,* marzo de 1984.

Atención prenatal

The American College of Obstetricians and Gynecologists: *Standards for obstetric-gynecologic services.* 6a. ed. Washington DC, ACOG Pub., 1983.
Cohen, Llan, "Chlamydia trachomatics in the perinatal period". *Contemp. OB/Gyn,* 33 (6): 22-134, 1989.
Ritter, S. E. y Vermund, S. H., "Congenital toxoplasmosis". *JOGNN* 14 (6): 435-439, 1985.

Embarazo complicado

Coustan, D. R. et al., "Screening for gestational diabetes mellitus". *Obstet. Gynecol.,* 73: 557-560, 1989.

Creasy, R. K., "Ways of preventing preterm birth". *Contemp. ob/Gyn,* 32 (4): 64-77, 1988.

Gabbe, S. G., "Routine use of fetal movement counting". *ob/Gyn Alert,* 6 (7): 25, 1989.

Gershon, A., "Chickenpox: How dangerous is it?" *Contemp. ob/Gyn,* 31 (3): 41-56, 1988.

Gill, P. J. y Katz, M., "Early detection of preterm labor: Ambulatory home monitoring of uterine activity". *JOGNN,* 15 (6): 439-442, 1986.

Katz, M., Gill, P. y Turiel, J., *Preventing preterm birth: A parent's guide.* San Francisco, Health Publishing, 1988.

Kemp, V. H. y Page, C. K., "The psychosocial impact of a high-risk pregnancy on the family". *JOGNN,* 15 (3): 232-236, 1986.

Long, J. y Lieberman, E., "Prolonged pregnancy: The management debate". *Br. Med. J.,* 297:715, 1988.

Maslow, A. S. y Bobitt, J. R., "Herpes in pregnancy: Exploring clinical options". *Contemp. ob/Gyn,* 32 (4): 44-61, 1988.

O'Grady, J.P., "More of prevention of prematurity". *OB/Gyn Alert,* 6 (3): 10-11, 1989.

Sibai, B. M. y Moretti, M. M., "PIH: Still common and still dangerous". *Contemp. ob/Gyn,* 31 (2): 57-70, 1988.

Tests de bienestar fetal

Manning, F. A. et al., "Fetal assessment using the biophysical profile". *Am. J. Obstet. Gynecol.,* 162: 703-709, 1990.

Marshall, C. y Schneider, J., "Assessments of feetal well-being and maturity". In Sonstegard, Kowalski, & Jennings (eds.), *Women's health: Crisis and illness in childbearing,* volumen III. San Diego, CA, Grune & Stratton, 1987.

Matteson, D. R., Angtuaco, T. y Long, C., "Magnetic resonances imaging in obstetrics and gynecology". *Contemp. ob/Gyn,* 29 (1): 48-81, 1987.

O'Grady, J. P., "First trimester chorionic villius sampling". *ob/Gyn Alert,* 6 (1): 3, 1989.

Paul, R. y Chez, R. F., "Fetal acoustic stimulation". *Contemp. ob/Gyn,* 32 (1): 123-125, 1988.

Schifrin, B. S. y Clement, D., "Why fetal monitoring remains a good idea". *Contemp. ob/Gyn,* 35 (2):70-86, 1990.

Wallach, E. E., "When a child is brain-damaged". *Contemp. OB/Gyn.,* 35 (9): 11-16, 1990.

Parto especial

Berkowitz, G. S. et al., "Pregnancy outcome in the mature gravida". *N. Engl. J. Med.,* 322: 659-664, 1990.

Cunningham, F. G. y Leveno, K. J., "Pregnancy after 35". *Williams obstetrics supplement,* 18a. ed., Norwalk CT, Appleton & Lange, 1989, págs.1-12.

Galvan, B. J. y Broekhuizen, F. F. "Obstetric vacuum extraction". *JOGNN,* 16 (4):242-248, 1987.

Marshall, C. C., "The art of induction/augmentation of labor". *JOGNN,* 14 (1): 22, 1985.

Pheland, J. P., Clark, S. L., Porreco, R. P. y Van Dorsten, J. P., "Finding alternatives to cesarean section". *Contemp. OB/Gyn,* 31 (1):191-210, 1988.

Trabajo de parto

Apuzzio, J. J., "Clinical dialogue: Anesthesia for newborn circumcision." *Contemp. OB/Gyn,* 35 (1): 108-112, 1990.

Berry, L. M., "Realistic expectations of the labor coach". *JOGNN,* 17 (5):354-355, 1988.

Fortier, J. C., "The relationship of vaginal and cesarean births to father-infant attachment". *JOGNN,* 17 (2): 128-143, 1988.

Grant, A. et al., "Intrapartum asphyxia: Uncommon cause of cerebral palsy". *Lancet, 2:* 1233-1236, 1989.

Rossi, M. A. y Lindell, S. G., "Maternal positions and pushing techniques in a non-prescriptive environment". *JOGNN,* 15 (3): 203-208, 1986.

Scanlon, J. W., "Foreskin foibles". *Perinatal Press,* 12 (5): 71, 1989.

Slavazza, K. L., Mercer, R. T., Marut, J. S. y Shinder, S., "Anesthesia, analgesia for vaginal childbirth: Differences in maternal perceptions". *JOGNN,* 14 (4): 321-329, 1985.

Wallace, D. y Cunningham, F. G., "Obstetrical anesthesia". *Williams obstetrics supplements,* 17a. ed., Norwalk, CT, Appleton & Lange, 1988, págs. 1-12.

Posparto

Anderberg, G. J., "Initial acquaintance and attachment behavior of siblings with the newborn". *JOGNN,* 17 (1): 49-54, 1988.

Hampson, S. J., "Nursing interventions for the first three pospartum months". *JOGNN,* 18 (2): 116-122, 1989.

Inturrisi, M., Camenga, C. F. y Rosen, M., "Epidural morphine for relief of postpartum, postsurgical pain". *JOGNN,* 17(4): 238-243, 1988.

Keefe, M. R., "The impact of infant rooming-in on maternal sleep at night". *JOGNN,* 17(2): 122-126, 1988.

LaFoy, J. y Heden, E.A., "Postepisiotomy pain: Warm vs. cold sitz bath". *JOGNN,* 18 (15): 399-403, 1988.

Machol, L., "Single room maternity care gains converts". *Contemp. OB/ Gyn,* 34 (5):62-70, 1989.

Marecki, M., Wooldridge, A., Dow, P., Thompson, J. y Lechner-Hyman, "Early sibling attachment". *JOGNN,* 14 (16):418-423, 1985.

O'Hara, M. W. y Engeldinger, J., "Pospartum depression". *Postgraduate obstetrics and gynecology,* 10 (4):1-6, 1990.

Watters, N. E., "Combined mother-infant nursing care". *JOGNN,* 14 (6): 478-483, 1985.

Wong, S. y Stepp-Gilbert, E., "Lactation suppression: Nonpharmaceutical vs. pharmaceutical method". *JOGNN,* 14 (4): 302-309, 1985.

Amamantamiento

Eiger, M. S. y Olds, S., *The complete book of breastfeeding.* New York, Workman Publishing, 1987.

LeEsperance, C. y Frantz, K., "Time limitation for early breastfeeding". *JOGNN,* 14(2): 114, 1985.

Índice

PRIMERA PARTE

Los ajustes

SEGUNDA PARTE

El proceso y las precauciones

TERCERA PARTE

La experiencia

APÉNDICES